DYDDIADUR TROELLWR

Lluniau'r clawr: Huw John

Rhif Llyfr Rhyngwladol: 0 86243 358 4

Argraffwyd a chyhoeddwyd yng Nghymru gan
Y Lolfa Cyf., Talybont, Ceredigion SY24 5HE;
ffôn (01970) 832 304, ffacs 832 782

DYDDIADUR TROELLWR

R●BERT CROFT
gydag Androw Bennett

y Lolfa

RHAGAIR

Pan ddechreuodd nodiadau a chasetiau Robert gyrraedd, fe'm synnwyd gan enwau nifer o gymeriadau anhysbys. Doedd gen i ddim syniad fod yr hen gymeriad hwnnw o'r gyfres *Minder*, Arthur Daley, yn chwarae dros Forgannwg. Yn ystod y tymor, clywais nifer o'i gyd-chwaraewyr yn cyfarch Adrian Dale wrth yr enwau 'Arthur' neu 'Daley' a dyna ddatgelu'r gyfrinach!

Mae'n werth gwahaniaethu rhwng 'Bas' (Steven Barwick) a 'Bassey' (Steven Bastien). 'H', y capten awdurdodol, Hugh Morris, 'Matt' (Maynard), 'Hempy' (Hemp), 'Cotts' (Cottey), 'Meto' (Metson), 'Dutchy'/'Roly' (Lefebvre) a 'Watty' (Watkin) yn ddigon hawdd i'w dadansoddi, ond beth am frechdan 'Jamo'? Steve James, wrth gwrs, oedd yr ateb ar gasét nesa 'Crofty'!

DIOLCHIADAU

Pan ges i'm sgwrs gynta gyda Robert ynglŷn â chyhoeddi dyddiadur o'i dymor, ein gobaith oedd y byddai 1994 yn flwyddyn gofiadwy arall i Forgannwg ac y byddai Robert ei hun yn ennill ei le ar yr awyren fyddai'n cludo'r tîm rhyngwladol i Awstralia dros y gaea canlynol neu o leia gyda'r tîm "A" i India ar ôl y Nadolig.

Rown i'n ymwybodol o hanes diflas yr unigolion hynny sydd wedi mentro yn y Saesneg ar gadw dyddiadur. Fe gofiwch am Bob Willis (1978), Brian Brain (1980), Graeme Fowler (1985) a Jonathan Agnew (1988). Estynnodd hunllef bersonol pob un ohonyn nhw dros eu timau a dim un wobr i'w siroedd yn yr hafau hynny. Yr eithriad diddorol oedd pan gydweithiodd Graeme Hick a Graham Dilley ar ddyddiadur ym 1989 pan enillodd Caerwrangon y bencampwriaeth a dod yn ail yng nghystadleuaeth y Sul.

Robert Croft o'r Hendy gerllaw Pontarddulais oedd unig Gymro Cymraeg tîm cynta Morgannwg ar y pryd ac ef oedd y person naturiol i fentro am y tro cynta. Mae'n ymddangos fod Anthony Cottey, Matthew Maynard, Hugh Morris a Steven Llewelyn Watkin am ddysgu siarad Cymraeg ac efalle, petaem wedi aros am gyhoeddi *Dyddiadur Pumawd* ymhen blwyddyn neu ddwy, y bydde Morgannwg yn cael y llwyddiant y mae cefnogwyr criced ledled Cymru'n ysu am ei weld eto.

'Chafodd Robert na'r Clwb mo'r llwyddiant ym 1994 i ddilyn 1993 ond roedd diffygion y tîm a cholli'i le yn rhoi cyfle gwych iddo ddadansoddi'i broblemau personol a phroblemau'i gyfeillion wrth i'r tymor ddatblygu. Er y byddwn wedi hawlio clod am fy rhan yn eu llwyddiant mewn blwyddyn wahanol rhaid i mi gydnabod a chanmol cwrteisi ac amynedd Robert, Hugh Morris fel capten, a phawb arall yn y clwb am bob cymorth yn ystod cyfnodau o argyfwng poenus.

Diolch i Robert am gadw'i nodiadau ar bapur neu ar gasét a diolch i weddill y tîm am eu cyfraniadau ar gasét (weithiau'n boddi llais Robert!) a diolch i Marie Croft am ei gwaith fel ysgrifenyddes ddi-dâl i'w gŵr. Diolch i Susan a Malcolm, rhieni Robert, am y croeso, y coffi a'u hamynedd wrth ddelio â'm galwadau ar y ffôn. Sori 'mod i wedi torri ar draws eich prydau bwyd. Fe gewch heddwch o hyn ymlaen! Diolch i Mrs Bale, mam-gu Robert, am fod mor ddioddefgar ohonof ac am fod mor barod â'i gwên i gynnal Robert pan oedd ei ysbryd ar ei isa.

Diolch yn arbennig i David Morgan, Cadeirydd y Clwb, am ei gefnogaeth i'r fenter. Diolch i Siân Thomas a Caryl Lloyd-Jones, y ddwy Gymraes sy ar staff gweinyddol y clwb ac yn ddolen gyswllt gwrtais a bonheddig rhyngof a'u cyd-weithwyr. Rwy'n ddyledus i Mike Fatkin, Ysgrifennydd Criced y Clwb, am roi caniatâd i mi gysgodi rhag y glaw, y gwynt a'r haul yn lloc y Wasg. Ces gyfle i gwrdd yno â nifer o arwyr ymhlith cewri sy'n enwau adnabyddus. Dysgais fwy am griced, rygbi, bocsio, llenyddiaeth a'r dechnoleg fodern mewn un haf nag yn y deugain mlynedd cyn 1994. Oes 'na fodd i mi gystadlu mewn rhyw gwis ar fy ngwybodaeth drylwyr o dymor 1994 Morgannwg?

Os bydd y gwaith hwn yn ysgogi un Cymro neu Gymraes ifanc i ymddiddori am y tro cynta yng nghriced ac yng Nghlwb Morgannwg, fe fydd y fenter wedi bod yn llwyddiant. I chi, selogion ffyddlon, sy'n dilyn hynt a helynt y genhinen Bedr o flwyddyn i flwyddyn, daliwch ati. Rŷn ni yma o hyd ac fe orchfygwn ni eto ryw ddydd!

Androw Bennett – Hydref 1994

Dydd Gwener, 25ain o Fawrth

Bore diflas, niwlog yn yr Hendy. Pethe'r un mor ddrwg ar draffordd yr M4 i Gastell-nedd. Cyrraedd yr ysgol griced dan do ychydig yn hwyr. Alan Jones yn cwyno 'mod i'n ddiog! Criw o fechgyn ifanc yn ymarfer y bore 'ma; Darren Thomas, Andrew Jones (mab Alan), Stuart Phelps ac Alistair Dalton. Fi, felly, yw'r hen ŵr yn eu golwg nhw; y dyn profiadol. Does gan yr un ohonyn nhw awydd dangos unrhyw barch ata i, fodd bynnag. Mae'r tynnu coes yn rhan hanfodol o ymarfer ar fore diflas fel heddiw. Mae'n help i ymlacio.

Dyw Alan, fel hyfforddwr da, ddim yn caniatáu gormod o ymlacio. Mae e'n eistedd ar ben ysgol yn bwydo peiriant bowlio o fwced sy'n llawn o beli. Y cyfan sydd isie arno yw troswisg a brws paent. . . Na, mae'n well atal fy nychymyg rhag ofn iddo gyflymu'r peiriant pan fydda i'n batio rywbryd!

Tra bod Darren ac Andrew'n batio, mae'n gyfle i mi, Stuart ac Alistair fowlio am awr. Pwrpas sesiwn ymarfer fel hwn i fowliwr yw cadw mewn rhythm drwy'r gaeaf. Mae'n rhaid bod o ddifri rhag ofn i unrhyw arferiad drwg ddod yn rhan annatod o'm

Robert Croft, y troellwr. Llun: Huw John

symudiad allan yn yr awyr agored yn yr haf. Rhaid, felly, yw cadw cyfeiriad da ac anelu at fan arbennig â phob pêl. O fewn y rhwydi fan hyn, wrth fowlio pob pêl, rwy'n dychmygu bod gen i wicedwr a maeswyr wedi'u dosbarthu o gwmpas. Rwy'n amrywio'r bowlio, fel y gwnaf mewn gêm, ac yn sydyn, mae pawb yn sylweddoli bod Darren (sy'n fatiwr llaw chwith) wedi'i ddal gan y wicedwr! Y bêl gynta i mi lwyddo i'w throi y bore 'ma ac mae Darren yn gwybod fy mod wedi'i dwyllo'n lân. Mae hyn yn llawn mor wefreiddiol â llwyddo mewn gêm iawn. Dyw hi ddim mor hawdd troelli ar y llain ffug yma, ond, nawr ac yn y man. . .

Pan ddaw Darren i fowlio tipyn, mae Andrew'n mynnu gwisgo'i gap diogelwch. Hyd yn oed yma, does dim sicrwydd na wnaiff y bêl godi'n sydyn at ben y batiwr. Bu Darren ar daith gyda thîm dan 19 Lloegr i Sri Lanka yn ystod y gaeaf ac felly mae e wedi cadw'n ffit. Mae e'n credu 'mod i'n troelli'r bêl yn fwy ar ôl y daith i Dde Affrica! Dw i ddim yn gwybod, ond os bydd ein gwrthwynebwyr yn credu hynny yn ystod yr haf, efalle y caf fwy o wicedi. Yn sicr, mae'r un bêl 'na gynne wedi gwneud tipyn o argraff ar Darren.

Troellwr llaw chwith yw Stuart Phelps, ond rwy'n ei wylio'n fanwl yn y rhwydi. Yma, yn yr ysgol, rŷn ni'n gweithio'n galed ar dechneg ac os gall un ohonom helpu rhywun arall, bydd y tîm yn well yn y pen draw. Y bore 'ma mae Stuart yn ddigon parod i gymryd cyngor ynglŷn â symudiad ei ysgwydd wrth iddo fowlio. Mae'r drafodaeth yn gymhleth wrth i ni'n dau geisio gwella'n techneg ryw fymryn bach. I'r lleygwr, does fawr ddim gwahaniaeth, ond rŷn ni i gyd (a Stuart ei hunan) yn teimlo bod ei symudiad yn well erbyn diwedd y sesiwn. Y sesiynau hyn all helpu bechgyn fel Stuart i gyrraedd eu nod o ennill eu lle yn y Tîm Cyntaf.

Dydd Llun, 11eg o Ebrill

Codi am 4 o'r gloch y bore er mwyn bod gyda'r cynta'n dal ein bws wrth Bont Abraham am 5.30. Roedd hi mor gynnar fel ei bod hi'n well gen i beidio ag atgoffa'r person aeth â mi yno. Diolch, Dad!

Anthony Cottey o Gorseinon a Darren Thomas o Lanelli ymhlith y criw cynta, ond roedd y mwyafrif ohonom yn dal i hanner cysgu hyd nes i ni gyrraedd Caerdydd. Wrth i bawb ymuno â'r bws, cyfnewid hanesion ein gaeaf sy'n mynd â'n bryd, ynghyd â thipyn o dynnu coes. Dadl ffyrnig am rygbi wrth i ni bori trwy'r *Western Mail*. Cottey'n clodfori Abertawe, Shaw'n addoli'i gyd-chwaraewyr yng Nghastell-nedd a Dean Conway'n ymfalchïo yn llwyddiant newydd Caerdydd. Crysau sgarlad tîm Llanelli sy'n mynd â'm bryd i ond rwy'n atgoffa pawb fy mod i'n aberthu gwylio tîm yr Hendy'n ennill Cwpan Tovali nos Wener nesa wrth wastraffu wythnos yn eu cwmni yn haul Portiwgal!

Cyrraedd Heathrow a sylwi ar Barwick a Shaw'n dechre gofidio am dreulio dwyawr uwchben y cymylau. Peidiwch â dweud wrth y pwyllgor nac Alan Jones, ond fe dawelwyd y nerfau yn y bar tra oedd Bastien yn gwario ffortiwn ar fatris ar gyfer ei stereo personol. Heb ei gasetiau, fe fyddai'r daith yn rhy ddiflas. O'i weld yn cerdded o gwmpas i guriad y miwsig, gallech dyngu'i fod e newydd gyrraedd o Harlem neu'r Bronx!

Y cyfaill newydd o Barbados, Ottis Gibson, yn ymuno â ni nawr ar ôl cael trafferth i gael *visa* i deithio i Bortiwgal. Er mai dim ond unwaith mae'r rhan fwyaf ohonom wedi cwrdd ag e o'r blaen, mae'n amlwg ei fod e'n mynd i setlo i mewn i'r tîm yn ddigon rhwydd. Mae'i ddiddordeb cerddorol e'n cydlynu â Bassy ac mae'r ddau'n ffrindiau mawr ymhen dim, yn cyfnewid casetiau ac yn siarad am yr un arwyr cerddorol.

Taith ddidrafferth, ond ambell un yn dechrau gofidio am y daith yn ôl i Heathrow cyn i ni gyrraedd ein gwesty. Mae'n gynnes iawn yma a'n gobaith yw y bydd y tywydd yn parhau'n sych. Wedi'r cwbl, rŷn ni yma er mwyn cael ymarfer mewn tywydd braf – yn debyg i Orffennaf poeth yn Abertawe neu Gaerdydd. Wrth i ni ddechrau ar yr ymarfer maesu cynta, mae ambell frodor Portiwgeaidd yn edrych yn syn arnom, ond mae ysbryd llwyddiant 1993 yn dal i'n hysgogi. Mae'n union fel petaen ni'n cario mla'n o'n buddugoliaeth yng Nghaer-gaint y llynedd.

Dydd Mawrth, 12fed o Ebrill

Awr o gynhesu'r cyhyrau ac ymarfer corff, cyn dechrau yn y rhwydi – wel, un rhwyd a dweud y gwir, gan mai dim ond un llain sydd yma! Falle y bydd y Portiwgeaid yn cymryd at griced ryw ddydd, ond yn y cyfamser rhaid gwneud y gorau o'r cyfleusterau. Mae'n braf cael

13

ymarfer yn yr awyr agored o'r diwedd. Ychydig bach yn well na niwl Castell-nedd! Mae'n bwysig hefyd gweld y bowlwyr i gyd yn syrthio i mewn i rythm cyfforddus ar y cychwyn. Yna'n sydyn mae popeth yn dod i ben. Pawb yn gweiddi ar ei gilydd am gadw draw. "Neidr ar y llain!" Nid y peth y bydd rhywun yn disgwyl ei glywed yn Lord's neu Headingley. Neb yn fodlon mynd yn agos at y creadur, ond rhywun yn cael y syniad o fowlio ato! Llithrodd yn ôl i'w bafiliwn ei hunan yn y coed gerllaw cyn i mi orfod anelu ato. 'Sdim isie i chi gynnwys f'enw i felly yn eich cwyn i'r cymdeithasau gwarchod bywyd gwyllt!

Dwyawr o orffwys ar ôl ymarfer cyn rhedeg milltir i'r traeth. Ugain munud o ymarfer corff ar y traeth a gorfod rhedeg i fyny'r rhiw'n ôl i'r gwesty. Ambell un wedi blino'n llwyr ac ambell un arall yn arbennig o ffit. Ambell un wedi dal yr haul hefyd tra bod un neu ddau'n rhy swil i ddangos eu cyrff gwyn wrth y pwll nofio. Ar ôl fy neufis yn Ne Affrica, does neb yn chwerthin am fy mhen i.

Paratoi pryd o fwyd i ni'n hunain heno, felly ffowlyn, ffa pob a *chips* amdani. Gwydraid neu ddau o lagyr i'w golchi i lawr a dyna i chi wledd!

Dydd Mercher, 13eg o Ebrill

Gorfod codi'n gynharach er mwyn dechrau ymarfer am 9.30. Awr o ymarfer maesu i weld pwy sy fwyaf anystwyth. Pawb yn symud yn dda erbyn diwedd yr awr. Yn syth i'r rhwydi wedyn a phawb wrth eu bodd i fod yn ymarfer criced allan yn yr haul. Ces fy nghyfle cynta i wynebu Ottis. Hedfanodd y bêl heibio 'nhrwyn unwaith neu ddwy! Doedd hyn ddim yn argoeli'n dda i mi, ond gobeithio'i fod e'n arwydd o addewid Ottis. Ar ddiwedd y bore, gorfod rhedeg i lawr i'r traeth a cholli'n ffordd! Ar ôl rhedeg yn ôl trwy ardd breifat fe benderfynwyd dirwyo Dean Conway am iddo wneud cymaint o gawlach o drefnu taith syml. Awr o dorheulo ac yna awr o aerobics gyda Karen. Y rhan fwyaf o'r garfan yn disgwyl awr ddigon rhwydd, ond fe newidiodd Karen eu meddyliau'n ddigon buan! Cefais hwyl yn gwylio cricedwyr athrylithgar fel H, Mets a Jamo wrthi. Yn wahanol iawn i'r sgiliau sy'n angenrheidiol i wynebu Curtly Ambrose.

Dydd Iau, 14eg o Ebrill

Ymarfer corff yn y bore unwaith eto. Dim byd newydd, ond cyffro mawr hanner y ffordd trwy'r sesiwn wrth i ni glywed ein bod yn cael prynhawn rhydd! Gêm golff wedi'i threfnu ymhen dim. Tri thîm o dan gapteniaeth cadeirydd Pwyllgor Criced Morgannwg, Huw Davies (Syr!), H a Dutchy. Am mai nhw yw'r chwaraewyr gorau. Neb am golli, wrth gwrs. Wel, beth ŷch chi'n ddisgwyl o griw o gystadleuwyr proffesiynol? Fe'm dewiswyd i'n aelod o dîm y cadeirydd (Syr!) gyda Hempy a Bas. Golffiwr a batiwr llaw chwith yw Hemp ac roedd ei ergydion cynta at bob twll yn fwy gweddus i'r maes criced nag i'r cwrs golff, ond roedd e'n llwyddo'n ddieithriad i adennill y sefyllfa a chyrraedd y twll bron yn ddidrafferth. Ceisiodd Bas ei ladd ag un ergyd ddamweiniol, ond llwyddodd pawb i fyw trwy'r brofedigaeth.

Rhyfeddod y dydd oedd gweld Cotts yn taro'r bêl yn syth i mewn i'r twll o 150 llath! Ei stori e, wrth gwrs, yw nad oedd dim byd anghyffredin ynglŷn â'r ergyd.

Bob tro rwy'n chwarae golff gyda chriw o gricedwyr ar daith, mae'n arferiad gorfodi'r sawl sy'n methu taro'r bêl heibio i dwmpath cychwyn y merched i chwarae'i ergyd nesa heb ei drowsus (er mwyn dangos i'r byd ei fod e'n ddyn!). Y sôn yw y gwelwyd Dean Conway heb ei drowsus o leia ddwywaith, ond serch hynny, ei dîm e, o dan gapteniaeth H ac yn cynnwys Cotts a Daley, enillodd y dydd.

Dydd Gwener, 15fed o Ebrill

Gêm ymhlith ein gilydd, sy'n eitha anodd, a dweud y gwir. Mae'n galed cystadlu â chyd-aelodau o'ch tîm arferol, ond o leia rŷch chi'n gwybod digon am eu cryfderau a'u gwendidau. Yr ymarfer oedd bwysica, ond fe hoffwn i bawb nodi mai ein tîm ni, o dan gapteniaeth Mets, enillodd ar ddiwedd y dydd.

Pawb allan gyda'n gilydd am bryd o fwyd heno. Rhywun neu'i gilydd wedi'n hargymell i fynd i ". . . fwyty arbennig o dda mewn pentre gerllaw. . ." Cytunodd pawb fod y lle'n ein hatgoffa am y caffi ar raglen *Eastenders*! Bwyd gwarthus, ond y canu Cymreig yn gwella wrth i'r noson fynd yn ei blaen.

Dydd Sadwrn, 16eg o Ebrill

Gêm arall heddiw a thîm H yn ein curo. Wedi gweld Ottis yn bowlio'n gyflym sawl gwaith, cawsom gyfle i'w weld yn batio. Aeth y bêl i bedwar ban byd oddi ar ei fat.

Noswaith dawel arall heno ar ôl pryd o fwyd a pheint o Guinness. Gwylio peth o'r Gêm Brawf o'r Caribî ar y teledu cyn ffonio Marie i glywed bod tîm rygbi'r Hendy wedi ennill Cwpan Tovali ym mharc y Strade neithiwr. Y bechgyn gartre'n gosod y safon tra'n bod ni, ar un olwg, ar ein gwyliau.

Dydd Sul, 17eg o Ebrill

Rhyddhad, gan ein bod wedi gweithio mor galed, o ryw brofion diflas yn hanu o ddychymyg Conway. Ymarfer maesu'n rhywbeth digon cyfarwydd, fodd bynnag. Awr o faesu cyn y rhwydi'r bore 'ma.

Mae pawb yn disgwyl ymlaen yn eiddgar at ddechrau'r tymor a'r gêm gyntaf yn erbyn Prifysgol Rhydychen. Bydd y gêm hon yn rhoi cyfle cynnar i nifer o fechgyn ifanc fel Hempy, Dalton, Butcher a Darren Thomas geisio ennill lle yn y tîm cynta. Mae Maynard a Watkin yn dal yn Antigua'n mwynhau croeso Vivian Richards, ond yn gorfod eistedd yn y pafiliwn ar ôl iddynt fethu ennill lle yn y tîm prawf. Dewiswyd Hugh, Adrian a mi i chwarae dros dîm "A" Lloegr yn erbyn y pencampwyr, Middlesex, ar eu tomen eu hunain yn Lord's. Bydd hwn yn gyfle cynnar gwych i'r tri ohonom geisio dangos ein gwerth i ddewiswyr Lloegr ar gyfer y profion yn erbyn Seland Newydd a De Affrica yn nes ymlaen yn y tymor.

Trefnodd Conway barti heno ar gyfer ein noson ola. Rhyw syniad o adeiladu ysbryd y tîm ar gyfer y tymor newydd yw'r rheswm swyddogol. Noson gystadleuol yw hi, fodd bynnag, a thipyn o sbri wrth i bawb ymuno yn hwyl y gêmau.

Dydd Llun, 18fed o Ebrill

Un cyfle byr arall yn y rhwydi y bore 'ma cyn pacio ar gyfer y daith adre. Y gorchymyn yw i ni gwrdd am 2.30pm yn y cyntedd i ddal y bws i'r maes awyr sydd tuag ugain munud i ffwrdd. Mae'r awyren yn gadael am 5.30pm. Dim sôn am y bws ac felly am 4.15pm penderfynwyd rhuthro mewn fflyd o dacsis moethus. Maen nhw mor foethus fel bod rhywun o'r criw'n ein cymharu â pharti o swyddogion y llywodraeth ar y ffordd i gynhadledd fawr wrth i ni gyrraedd y maes awyr am 4.45pm a gorfod cael ein bagiau wedi'u harchwilio. Yn y diwedd, roedd rhaid rhedeg i ddal yr awyren. Ychydig o ymarfer ychwanegol, an-swyddogol heb ei drefnu gan yr hyfforddwyr!

Nos Fercher, 20fed o Ebrill

Gadael yr Hendy amser te a gyrru i ganol mwg a

bwrlwm Llundain a chyffro gêm gynta'r tymor. Rhannu stafell gyda Daley yng Ngwesty'r Marriott rhyw ddeng munud o Lord's. Ailafael yn hwyl a naws y gaeaf yn Ne Affrica wrth weld rhai o fechgyn tîm "A" Lloegr yn barod yn y bar! Dim diod feddwol i neb heno, wrth gwrs, ar drothwy'r tymor newydd. Pawb yn cymharu'r teithiau i'r haul gyda'u siroedd dros yr wythnosau diwethaf a thrafod argoelion ein timau am yr haf.

Newyddion drwg am Hugh Morris. Wedi dioddef tipyn o boen yn Ne Affrica, cafodd lawdriniaeth ar ei ben-glin ym mis Chwefror. Mae e wedi gwella, ond does dim pwynt iddo gymryd siawns mewn gêm gyfeillgar cyn i'r tymor iawn gychwyn. Rwy'n gobeithio y caf chwarae. Mae'n gyfle i ymarfer ym Mhencadlys y gêm fyd-eang. Mae'n gyfle i ddangos fy noniau ar y llwyfan gorau. Mae'n gyfle i greu argraff dda o flaen y bobl fydd yn dewis y tîm rhyngwladol. All dyn ddim ond gwneud ei orau glas!

Dydd Iau, 21ain o Ebrill
(Croft: d Radford b Weekes 31)

O'r diwedd! Gêm gynta'r tymor. Dim sôn am gyhoeddi'r tîm dros frecwast yn y gwesty. Ymarfer maesu byr ac yna sesiwn brysiog yn y rhwydi cyn clywed fy mod, wedi'r holl aros, yn chwarae.

Middlesex yn hawlio'r dewis a Mike Gatting yn gofyn i ni fatio gyntaf. Llain isel ac araf. Bydd hi'n anodd sgorio os bydd y bowlwyr yn weddol o gywir.

Ar ddiwrnod o sgorio araf, mae'n cyfanswm ni'n 260 am 7 wiced. Go lew. 35 i Daley ac fe sgoriais innau 31 rhediad. Cychwyn digon boddhaol i'r ddau Gymro felly. Gobeithio y cawn ni'n dau ychydig o wicedi yfory.

'Nôl ym mhafiliwn mawreddog Lord's clywsom am orchestion Morgannwg yn erbyn Prifysgol Rhydychen. Perfformiad hollol broffesiynol yn ôl pob hanes a chant yr un i Jamo a Cotts tra sgoriodd Hempy 51.

Nodwedd arbennig o chwarae yng nghae Thomas Lord yw'r arlwyaeth. Mae Nancy a'i chyd-weithwyr yn y gegin bob amser yn paratoi prydau rhagorol. Dyw heddiw ddim yn eithriad. Petawn i'n chwarae yma'n gyson, byddwn yn siŵr o dyfu fel eliffant!

Dydd Gwener, 22ain o Ebrill
(Croft: 1 - 0 - 6 - 0)

Tywydd ardderchog! Rhyfeddod haul cynnes yn goleuo Llundain. Y criced yn adlewyrchu'r hindda. I ni, o leia. Aethom ymlaen y bore 'ma i gyrraedd cyfanswm o 357 a Steve Rhodes (Caerwrangon) yn cyfrannu 46 rhediad, Martin Bicknell (Surrey) 41, Mark Ilott (Essex) 45 heb fod allan a hyd yn oed ein batiwr ola ond un, Martin McCague (Caint) 20. Cyfrannodd Peter Such, y troellwr arall yn y tîm, 9 rhediad ar y diwedd. Rwy'n dod ymlaen yn reit dda gyda "Screamers" (enw rhai o'r Wasg arno – ar ôl Screamin' Lord Sutch!) er ein bod yn cystadlu, efalle, am yr un lle yn y tîm rhyngwladol. Mae'n rhieni wedi tyfu'n dra chyfeillgar â'i gilydd dros y blynyddoedd hefyd, er gwaetha'r ymryson rhwng eu meibion. Er nad wyf yn teimlo'n ddig at rywun fel "Suchy" (enw'r rhan fwyaf o'i gydchwaraewyr arno), mae fy matio'n gyson well na'i fatio fe, ac felly rhaid cadw llygad barcud ar ei sgôr e drwy'r tymor.

Atebodd Middlesex yn wan a sgorio dim ond 156, gan roi cyfle i'n capten, Alan Wells, ofyn iddynt fatio eto. Rhoddodd y llain dipyn o gymorth i'n bowlwyr cyflymach, â'r bêl yn symud oddi ar y gwnïad.

Cymerodd Ilott 4 wiced, McCague 3 a Daly a Martin Bicknell un yr un. Rhedwyd John Carr allan yn rhad hefyd, ond cyn-gapten y tîm rhyngwladol, Gatting, osododd y broblem fwya i ni gan sgorio 58 cyn i Daly ei gael, coes-o-flaen-wiced. Ches i ddim cyfle i fowlio yn y batiad cynta oherwydd cyflwr y llain. Bowliodd Suchy 8 pelawd am 16 a dim argoel am gymorth iddo yntau chwaith. Efalle mai'n tro ni'n dau fydd hi yfory; yn sicr, os bydd y tywydd yn parhau'n sych dros nos, fe fydd y dewiswyr yn siŵr o fod eisiau'n gweld wrth ein gwaith am ddwyawr neu dair.

Ar ddiwedd diwrnod boddhaol, allan am bryd o fwyd tawel gyda'm cariad, Marie, fy rhieni a Mamgu. O bryd i'w gilydd, maen nhw'n dod i weld ambell ddiwrnod o griced hwnt ac yma yn Lloegr. Bydd digon o gefnogaeth bob amser, wrth gwrs, 'nôl yng Nghymru ac mae'n braf cael ychydig o gefnogaeth o Gymru, hyd yn oed mewn gêm fel hon, yn y pencadlys.

Dydd Sadwrn, 23ain o Ebrill

Arllwys y glaw! Siom fawr i ni wrth sylweddoli nad oes gobaith ailgychwyn am 11 o'r gloch. Y maes yn rhy wlyb o lawer er iddi beidio â bwrw glaw erbyn hanner dydd. Rŷn ni mewn sefyllfa wych i ennill, ond dyw'r bowlwyr cyflyma ddim am fentro rhedeg at y llain tan i'r olion traed sychu'n llwyr. Ma' hyn yn hollol deg, gan nad oes diben mentro cael anaf ar ddechrau'r tymor. Siom, wrth gwrs, i'r ychydig selogion sydd wedi herio'r tywydd, ond rhaid cofio mai ein bywoliaeth ni yw chwarae criced a dyw hi ddim yn deg disgwyl i fechgyn fel McCague, Ilott a Bicknell fentro'n rhy gynnar heddiw.

Does dim dewis, felly, ond mynd am awr o ymarfer i'r cyfleusterau dan do gorau yn Lloegr – heb sôn am Gymru! Mae Ray Illingworth, rheolwr newydd y tîm cenedlaethol, yma gyda'i gyd-ddewiswyr a does dim amheuaeth nad yw pob aelod o'r ddau dîm sy'n chwarae yma am ddefnyddio'r cyfle hwn i ddangos ei barodrwydd i ymarfer am ychydig pan ddaw'r cyfle.

Nôl yn y Pafiliwn (sylwer ar y "P" fawr!), cyfle i ddiflannu am hanner awr fach dawel yng nghwmni rheolwr y maes, Gareth Williams o Bontardawe, yn ei swyddfa. Mae gan Gareth gasgliad o luniau o dîm Morgannwg dros y blynyddoedd ar y mur o gwmpas ei ddesg ac rwy'n gallu ymfalchïo'i fod e wedi ychwanegu llun o'n tîm a fu mor llwyddiannus y llynedd. Mae'n dipyn o ryfeddod gweld y llun ohonon ni yn ein dillad Sul o las tywyll a melyn yng nghanol yr holl luniau traddodiadol o gricedwyr yn eu gwynion. Gobeithio y gallwn ychwanegu at ei gasgliad yn o fuan!

Lawr yn ein hystafell newid mae Daley'n curo pawb yn ddidrugaredd (fel arfer) gyda'r cardiau. Rhai ohonom yn gwylio Rygbi XIII ar y teledu tra bod un neu ddau'n cysgu. Pob un yn ailgyfarwyddo â gorfod difyrru'n hunain (a'n gilydd) ar ddiwrnodau gwlyb. Rhywbeth llawn mor bwysig, yn ôl rhai, â dysgu sut i wynebu bowlwyr cyflym!

Erbyn tri o'r gloch, mae'r haul yn disgleirio, ond y maes yn dal yn rhy wlyb. Mae Mam-gu a'm rhieni wedi cyrraedd ac yn torheulo yn yr eisteddle wrth y Dafarn (ond, fe ddylwn ychwanegu, yn cadw draw o'r bar!). Am fod yr eisteddle fwy neu lai'n wag, caf gyfle i fynd draw am sgwrs. Ar ôl i'r glaw beidio y bore 'ma, buont am dro o gwmpas y fynwent ar draws Heol Coedwig Sant Ioan. Cerddodd hen daid fy nhad slawer dydd o Paddington i Lannon ger yr Hendy i chwilio am waith ac felly mae 'na dipyn o gyffro wrth iddyn nhw ddweud eu bod wedi gweld y cyfenw "*Croft*" ar un o'r cerrig beddau yn y fynwent. Yna, wrth gwrs, cofio mai "*Wearcraft*" oedd enw'r hen foi pan adawodd Lundain. Cymry Cymraeg yr Hendy a Llannon yn methu â chael eu tafodau o gwmpas enw mor estron a doedd ganddo ddim dewis ond ein troi i gyd yn *Croft*!

O'r diwedd, a phawb yn barod i eistedd i weld gêm bêl-droed fawr y dydd ar y teledu rhwng Manchester United a Manchester City, mae'r ddau gapten a'r dyfarnwyr yn cytuno i ailddechrau'r chwarae. Allan â ni am 5 o'r gloch am awr a hanner o chwarae. Dyw hyn ddim ond yn deg am fod nifer o bobol wedi talu am weld y gêm. Gyda llaw, gan nad oes llawer o griced heddiw, mae 'ma garfan o ddilynwyr selog y gêm o bob cwr. Maen nhw'n ffans go iawn o wahanol siroedd a maen nhw 'ma i weld ychydig o griced, os yw'n bosib, ond ma' nhw yma hefyd i ddechrau casglu llofnodion yn y cnwd diweddara o lyfrau criced. Treuliais dipyn o amser y tu ôl i'r pafiliwn yn llofnodi ac roedd hi'n dda gweld nifer fach o Gymry ymhlith y garfan.

Erbyn diwedd y dydd, mae Middlesex wedi cyrraedd 100 am 3 wiced, â Mike Gatting yn 58 heb fod allan. Yn anffodus fe gollodd John "Creepy" (enw annheg arno!) Crawley gyfle i'w ddal yn agos at y bat am 36 oddi ar fowlio McCague. Methiant drud efalle. Cawn weld yfory.

Tra o'wn i'n gwastraffu'r diwrnod yn aros i'r maes sychu, mae Marie wedi bod o gwmpas siopau crand Llundain gyda Sandra, cariad Mark Ilott a Judy, gwraig Steve Rhodes (wicedwr Caerwrangon), i chwilio am wisg briodas i Sandra. Dw i ddim yn credu y cawson nhw lawer o lwyddiant, ond mae 'na dipyn o amser tan y briodas ym mis Hydref, beth bynnag. Fe gafodd y tair ohonyn nhw dipyn o hwyl ac rŷn ni fechgyn yn cael yr hanes i gyd wrth i ni'n chwech fynd allan am bryd o fwyd gyda'n gilydd i ganol Llundain.

Dydd Sul, 24ain o Ebrill
(Croft 26 - 2 - 90 - 1)

Dim llawer o lwyddiant i ni heddiw, yn benna am i Gatting sgorio 224 heb fod allan. Fe gawson ni ambell gyfle hwnt ac yma eto, ond fe gafodd Gatting gefnogaeth dda gan John Carr (100). Er nad oeddwn i, neithiwr, wedi disgwyl bowlio fawr ddim heddiw, am fod y llain yn siwtio'r bowlwyr cyflymach, fe roddodd y capten, Alan Wells, gyfle go dda i mi.

Ar lain fel hon, does 'na ddim ond dwy ffordd o fowlio. Gall troellwr fel fi ymosod ar yr ochr agored er mwyn ceisio cael ambell wiced. Yn anffodus, y dudedd yw rhoi rhediadau cyson i'r batwyr ac felly mae fel petai'r bowliwr yn prynu'i wicedi wrth ddenu'r batiwr i gymryd siawns a cheisio taro'r bêl yn galed. Ar y llaw arall, fe alla i fowlio'n fwy syth ac anelu rhwng y wiced ganol a'r un ochr goes. Dyw'r bêl ddim yn cael cymaint o awyr a'r bwriad yw cyfyngu ar nifer y rhediadau, ond does 'na ddim cymaint o gyfle i gymryd wiced.

Dewisais ymosod heddiw, gan ein bod yn ceisio'u bowlio nhw allan, er nad oedd y llain yn cynnig llawer o gymorth i mi. Dylwn fod wedi cael Gatting allan, ond fe ollyngodd ein maeswr-slip y bêl o'i afael a dyna golli'n cyfle i ennill y gêm hefyd. Gan amla, mae batwyr o safon Gatts yn dueddol o roi un cyfle'r dydd a dysgu'r hen wers os cân' nhw ryddhad. Methodd Gatts â chanolbwyntio ar un bêl yn unig tua hanner dydd ac ar y pryd roedd angen 100 arall ar Middlesex i achub y gêm. Piti na fyddai'r slip wedi cymryd y cyfle. . .

Erbyn diwedd y dydd, er i'r gêm orffen yn ddiganlyniad, roedd gen i ddau gysur bach ar y daith yn ôl i Dde Cymru. Yn gynta, bowliais Carr i sicrhau wiced gynta'r tymor. (Y gynta o lawer, gobeithio.) Yn ail, clywais fod yr Elyrch, tîm pêl-droed Dinas Abertawe, wedi ennill Tlws Autoglass yn Wembley y prynhawn 'ma. Roedd hi'n brofiad rhyfedd ar y draffordd a miloedd ar filoedd o gefnogwyr ar eu ffordd adre'n chwifio'u baneri o bob math o gerbyd.

Gan fod f'enw ar ochrau fy nghar noddedig, cefais fwy o gyfarchion heno nag erioed o'r blaen ar daith hir. Gobeithio y gallwn weld golygfeydd tebyg cyn hir ar ôl llwyddiant i ni mewn gêm fawr yn Lord's!

Dydd Llun, 25ain o Ebrill

Ymarfer i'r tîm yn y rhwydi yng Nghaerdydd a thri digwyddiad go bwysig. Yn gynta, cyfle i groesawu Maynard a Watkin yn ôl o'r Caribî. Y ddau wedi magu lliw haul da ac yn edrych yn ffit iawn. Cymerodd Matt ei dro a batio yn y rhwydi am ychydig, ond ymateb Watty oedd ei fod wedi syrffedu ar rwydi. "Dw i newydd dreulio tri mis yn y rhwydi ac os nad wyf i'n ddigon ffit i fowlio nawr, fydda i byth yn ffit i fowlio!"

Y cyffro mawr arall oedd wrth i'r chwaraewyr hyna dderbyn eu ceir noddedig. Roedd rhai o'm cymdeithion fel plant bach heddiw, mae'n rhaid i mi gyfaddef, yn cymharu ceir ac ambell un yn genfigennus o'r lleill. Dw i'n ffodus iawn gan fod Garej Sinclair yn Abertawe'n fy noddi a rhoi benthyg car am y flwyddyn gyfan i mi. Mae'n angenrheidiol i mi gael car i deithio ar hyd a lled Cymru a Lloegr yn ystod y tymor, wrth gwrs, a dw i'n hapus cael enw Sinclair a'm henw i ar goedd ar y car yn hysbyseb iddyn nhw am roi benthyg car i mi.

Rhywbeth personol i mi oedd y trydydd digwyddiad o bwys heddiw wrth i mi arwyddo estyniad o dair blynedd i'm cytundeb gyda Chlwb Criced Morgannwg sy'n fy nghlymu wrth y clwb tan ddiwedd 1997 (pan fydda i'n 27 mlwydd oed). Mae'r clwb yn awyddus cadw cnewyllyn y tîm gyda'i gilydd ac felly mae 'na nifer ohonon ni wedi arwyddo estyniadau tymor hir i'n cytundebau. Gan fy mod yn hanu o'r Hendy ac wedi byw yn yr ardal honno'n unig, does 'na ddim ond un tîm i mi, ac felly mae gwybod fy mod yn sicr o chwarae dros Forgannwg am bedwar tymor arall yn rhoi sicrwydd a hapusrwydd mawr i mi ac i Marie a'm rhieni. Gobeithio y gallaf aros yn agos at y brig er mwyn cael estyniad arall i'm cadw oddi ar y strydoedd hyd at ddiwedd y ganrif o leia!

Dydd Mawrth, 26ain o Ebrill

Diwrnod golff yn yr Eglwys Newydd yn rhan o dymor budd Hugh Morris. Roedd rheolau'r twrnament yn gymhleth, ond dw i'n credu i'n tîm ni ennill y dydd. Roedd gan un aelod o'n tîm ni handicap o 2 yn unig ac roedd hi'n bleser ei wylio'n chwarae. Cyfle gwych i ymlacio tipyn cyn cyffro'n gêm gynta yn y bencampwriaeth yn erbyn Swydd Warwick yn Edgbaston.

Dydd Mercher, 27ain o Ebrill
(Croft: b Reeve 30)

Yn y rhwydi yng Nghaerdydd yn gynnar eto cyn mynd i giniawa gyda Maer Sir De Morgannwg yn Neuadd y Sir. Cinio i ddathlu'n llwyddiant y llynedd yng

Nghynghrair Axa Equity & Law. Ar ôl y bwyta a'r areithio, yn ôl ar y draffordd i gyfeiriad Birmingham. Pawb fel plant bach nawr yn edrych ymlaen at ddechrau'r tymor cystadleuol – o'r diwedd!

Watty'n cyhoeddi'i fod wedi syrffedu ar fyw mewn gwesty ar ôl ei dri mis yn y Caribî. Heno, fodd bynnag, mae e'n rhannu stafell gydag Ottis, Meto gyda Jamo, Hempy gyda Roly a Daley'n rhannu gyda Bassy. Mae'n rhaid i Cotts ddiodde 'nghwmni i fel y bydd yn gwneud ar bob taith gar gan ein bod yn byw mor agos at ein gilydd yn Llanedi a'r Hendy. Mae'r capten a'r is-gapten yn cael stafell yr un ac felly does byth raid iddyn nhw ddiodde chwyrnu na hunllefau rhyw aelod arall o'r tîm! Ar ôl gwasgaru'r dillad o gwmpas y stafell, allan am bryd o fwyd i ganol Birmingham cyn dychwelyd a threfnu galwad am 8 o'r gloch y bore. Rhaid cofio archebu bwndel o bapurau newydd ar gyfer y bore hefyd er mwyn darllen rhagolygon y Wasg am y tymor o'n blaen.

Dydd Iau, 28ain o Ebrill

Cyrraedd Edgbaston erbyn 9.15 i groeso tyrfa fawr o aelodau'r Wasg. "Lara Mania", yn ôl yr arbenigwyr. Y ddau dîm yn cynhesu'r cyhyrau am hanner awr cyn i H gyhoeddi mai Bassy fydd ein heilydd. H yn galw'n gywir ac yn dewis batio'n gyntaf. Ochenaid unsain o siom gan y dyrfa a'r Wasg wrth sylweddoli y bydd yn rhaid aros ychydig yn hwy cyn cael gweld Lara'n batio. Ar hyn o bryd rwy'n dal i freuddwydio am ei weld e allan ddwywaith heb sgorio a chlywed mwy o riddfan o swyddfa'r Wasg.

Llain gynorthwyol arall i fowlwyr sy'n defnyddio'r gwnïad. Bydd yn anodd batio arni o'r cychwyn a gwaethygu wnaiff hi. Felly, rhaid i ni sgorio rhediadau tra'i bod yn ei chyflwr gorau. Erbyn diwedd y dydd, 105 Hempy sy'n ein galluogi i gyrraedd 280 am 6. Mae hon yn flwyddyn bwysig iddo ac roedd heddiw'n gychwyn gwych. Fe gafodd y Wasg ei "Stori Lara" wrth i Brian gamu at Hempy a'i longyfarch ar sgorio'i gant cynta. Sgoriodd sawl un arall dros 20 i rannu'r baich o adeiladu sgôr sylweddol. Dangoswyd bod llwyddiant y llynedd yn dal i'n cynnal ac yn magu hyder. Hyd yn oed yn 80 am 3 wiced ac yna'n 100 am 4, roedd pawb yn ein stafell ni'n ffyddiog y caem gyfanswm uchel. Gallai'r dydd fod wedi mynd o chwith, ond fe weithiodd pawb yn galed er lles y tîm. Bydd llwyddiant o hyd yn magu hyder a dangosodd Hempy'r ffordd i ni i gyd heddiw. Erbyn cyrraedd ein gwesty, roedd pawb yn ddigon hapus â diwrnod cystadleuol cynta'r tymor.

Dydd Gwener, 29ain o Ebrill
(Croft: 31.5 - 11 - 101 - 1)

Sgôr terfynol i ni o 365, diolch i 127 Hempy a 61 gan Ottis yn ei gêm gystadleuol gynta i Forgannwg. Pawb yn dal yn hapus wrth gerdded i'r maes ar ddechrau batiad Swydd Warwick. Diflannodd ein gwên cyn hir, fodd bynnag, wrth i Brian Lara ddinistrio'n diwrnod.

Prin i mi weld batiad mor gyffrous cyn heddiw; fe sgoriodd 147 (gan gynnwys 100 rhwng cinio a the). Pan ddaliodd Maynard e yn y slip, roedd gen innau achos i ddathlu, oherwydd wiced Lara oedd y 200ed wiced dosbarth cynta i mi dros Forgannwg. Byddai'r dathlu wedi bod yn fwy grymus petai Lara allan deirawr ynghynt! Ar derfyn y dydd, roedd Warwick wedi sgorio 305 am 2 wiced a Lara wedi rhoi dimensiwn hollol wahanol i'r gêm. Mae Roger Twose yn dal yno ar 100 ac mae pawb o'n carfan ni'n sylweddoli fod brwydr galed o'n blaen yfory.

Dydd Sadwrn, 30ain o Ebrill
(Croft: 51 - 17 - 173 - 2)

Diwrnod hir a diflas. Gobeitho na chawn lawer fel heddiw yn ystod gweddill y tymor. Chwaraeodd Twose yn wych. Rhaid canmol lle mae rhywun yn haeddu canmoliaeth. Chwalodd e mo'n bowlwyr ni, ond roddodd e ddim un cyfle i ni gipio'i wiced e chwaith. Ar ddiwedd y dydd roedd e wedi sgorio 277 heb fod allan a chyfanswm ei dîm dros 600. Mae'n well gen i anghofio'r manylion!

Fe fowlion ni'n weddol a phawb yn barod i weithio'n galed. Does gan yr un ohonon ni unrhyw esgus, ond fe weithiodd eu batwyr nhw'n galetach. Gêm gynta'r bencampwriaeth i bawb a mwy o wersi i ni'u dysgu na bechgyn Swydd Warwick. Fe gipiais i ddwy wiced mewn 51 pelawd, dwy i Ottis ac un yr un i Watty a Daley. Cloı'u batiad a'n gadael ni i wynebu awr o fowlio ffyrnig Gladstone Small a'i ffrindiau oedd y dacteg amlwg i'w capten, Dermot Reeve, a thrwy gipio wicedi H ac Arthur (y ddau heb sgorio) fe gadwodd eu bowlwyr nhw'n bechgyn ni'n ôl ar eu sodlau.

Dydd Sul, 1af o Fai

Wedi defnyddio'r gair diflas i ddisgrifio ddoe, dw i ar goll am air addas i ddisgrifio heddiw. Er na sgoriodd e ddim ond cyfanswm o 224 o rediadau yn y bencampwriaeth y llynedd, mae Twose wedi dangos i bawb nad oes dim o'i le ar y llain yma. Felly, does dim esgus 'da ni. Ar ddechrau'n batiad ni neithiwr, roedd eisiau 323 arnom i orfodi Swydd Warwick i fatio eto. Er i ni golli dwy wiced neithiwr, roedd pawb yn obeithiol y gallem rwystro Warwick rhag ennill.

Fe drodd Small ein breuddwyd yn hunllef wrth gipio 5 wiced yn ein hail fatiad a doedd dim ond un canlyniad yn argoeli trwy gydol y dydd. Yr unig esgus sy gen i, fel batiwr llaw dde, yw mai batwyr llaw chwith yw Twose, Lara a Hemp, y tri a sgoriodd dros 100. Diwrnod a phenwythnos i'w hanghofio! Gwahaniaeth mawr rhwng teithio'n ôl i Gymru heno a'r nos Sul diwetha.

Steve Watkin a rhai o ddilynwyr y tîm. Llun: James McQuarrie

Anthony Cottey ar achlysur priodas Robert Croft. Llun: Gill Bennett

Robert Croft a chyn-droellwr Morgannwg, Don Shepherd. Llun: James McQuarrie

Dydd Llun, 2ail o Fai

Dim gêm gystadleuol heddiw, ond gan ei bod hi'n Ŵyl y Banc, draw i Drehopcyn i chwarae yn erbyn y tîm lleol fel rhan o dymor budd Hugh Morris. Mae pawb yn y tîm o hyd yn hapus i gefnogi'r digwyddiadau hyn pan fo gennym gyfle i fynd â'n clwb i ambell le diarffordd ac i hybu Cronfa H. Gan fod gyrfa broffesiynol cricedwr mor fyr, rhaid helpu chwaraewyr sy'n ffyddlon i'r un clwb am gyfnod hir i sicrhau'n dyfodol ar ôl gorffen chwarae. Er ein bod yn gobeithio gweld H yn chwarae am sawl blwyddyn eto, mae e wedi chwarae dros Forgannwg ers 1981 ac yn haeddu'n cefnogaeth.

Gêm undydd o 40 pelawd yr un, y tywydd yn ardderchog a thyrfa fawr. Marie, fy rhieni ac un fam-gu wedi dod am ddiwrnod o gymdeithasu yn yr haul. Dyw teuluoedd aelodau'r tîm ddim wedi cwrdd â'i gilydd ers 6 mis ac felly mae 'na fwy o glebran nag arfer! Ond y babis newydd yw'r bobl bwysica, yn cael eu pasio o gwmpas fel peli rygbi. (Na, peidiwch â galw'r NSPCC – chi'n deall beth dw i'n sôn amdano!) Mae pawb yn cytuno bod Bethan ac Emily, gefeilliaid newydd Hugh a Debbi, yn brydferthach o lawer na'u tad! Yn sicr, bydd Gail, mam Lowri Cottey, yn gwneud yn siŵr ei bod hi'n siarad gwell Cymraeg nag Anthony, ac mae gan Sue Maynard ferch fach newydd, Ceri, i gadw cwmni i Tom pan fo'u tad yn batio.

Dw i ddim yn cofio fawr o ddim am y gêm am i'r diwrnod ddatblygu'n gymdeithasol iawn. Gobeithio bod trigolion Trehopcyn wedi mwynhau'u hunain. Diolch am y croeso a diolch am gefnogi H.

Sioe ffasiwn i'r camerâu yng Ngerddi Soffia yn ein dillad Sul newydd. Dim newid yn y lliwiau o las tywyll a melyn, ond arwyddion ein noddwr newydd, Bwrdd Datblygu Bae Caerdydd, hwnt ac yma.

Rhuthro adre i'r Hendy ac yna'n ôl i Neuadd Brangwyn yn Abertawe i ginio mawreddog. Cinio Campwyr Abertawe'n ein hanrhydeddu ni fel Tîm y Flwyddyn ymhlith nifer o bencampwyr eraill yr ardal. Gwesteion enwog o bob maes yn cynnwys Mervyn Davies, Phil Bennett, Stuart Davies, Tony Clement a Geoff Wheel o fyd rygbi, y paffwyr Colin Jones a Neville Mead, y bowliwr lawnt Terry Sullivan ac Andrew Morris y mabolgampwr. Mae pob un o'r rhain, yn ei dro, wedi'i ethol yn Brif Gampwr Abertawe a'r Cylch, ac mae'n debyg yn ôl yn yr oes a fu, bod ein hyfforddwr, Alan Jones, wedi'i anrhydeddu. Fel rhywun sydd wedi gwasanaethu Clwb Criced Morgannwg cyhyd, rwy'n siŵr iddo fwynhau'r noson hon, pan ad-dalwyd ei holl waith gyda ni i gyd. Noson hyfryd o gyfnewid atgofion a storïau, a phawb yn dymuno lwc dda i ni yn y tymor newydd.

Er cymaint y mwynhad o noson fel heno, mae'n dangos pa mor anodd yw cael cricedwr proffesiynol yn fab/gŵr/tad. Fawr ddim amser rhydd o hyn ymlaen am weddill yr haf. Gartre am ddeuddydd ac yna i ffwrdd am chwe diwrnod. Hyd yn oed ar y deuddydd gartre mae 'na bethau wedi'u trefnu'n lleol i ni. Ar ddechrau'r tymor rhaid derbyn hyn fel rhan o fywyd cricedwr proffesiynol. Rhaid dal ati hyd at ddiwedd y tymor.

Dydd Iau, 5ed o Fai

Diwrnod cynta'n penwythnos yn Northampton. Ar ôl chwarae ychydig ddyddiau yn ôl yn erbyn y batiwr a fu'n cosbi'r tîm rhyngwladol yn y Caribî, rhaid i ni wynebu'i gydymaith o fowliwr, Curtly Ambrose, dros y penwythnos sydd i ddod. Gobeithio am well canlyniad.

Tywydd digon addawol yn ystod y daith o'r Hendy'n hwyr prynhawn ddoe, ond glaw trwm dros nos yn dal i arllwys i lawr wrth i ni gyrraedd y maes. Maes tebyg i San Helen yn Abertawe gan eu bod yn rhannu cyfleusterau gyda thîm pêl-droed Northampton Town. Y tywydd heddiw'n fwy addas i gicio yn hytrach na bowlio!

Doedd 'na ddim problem i lenwi'r bore wrth i Cotts a mi alw heibio i stafell y Wasg. Tipyn o dynnu coes wrth weld Edward Bevan a Don Shepherd y BBC. Mae gan y bechgyn barch mawr at "Shep" am ei fod wedi bod yn ein sefyllfa ni ac wedi bod, yn ei amser, yn un o gewri Morgannwg. Y drafodaeth ymhlith y Wasg yn troi o gylch penderfyniad Northampton i gosbi Ambrose a'i ddirwyo am ddychwelyd wythnos yn hwyr o'i gartre yn Antigua. Steve Coverdale, ysgrifennydd Northampton, yn cadarnhau fod Ambie wedi'i gosbi, ond yn gwrthod datgelu maint y ddirwy. Rhywun yn sibrwd yn fy nglust nad yw ". . . dirwy o fil neu ddwy. . ." yn gofidio Ambrose am ei fod wedi ennill gwobr o £50,000 gan gwmni ariannol o Lundain am gymryd wyth wiced yn un o'r gêmau Prawf diweddar yn erbyn Lloegr. Mae'r un cwmni wedi gwobrwyo Brian Lara â £50,000 am ei sgôr o 375 yn yr un gyfres.

Cadarnhad, os oedd eisiau cadarnhad, ein bod yn wynebu un o gricedwyr mawr yr oes am yr ail benwythnos yn olynol. Erbyn amser cinio, dyw'r tywydd ddim wedi gwella ac mae'r drafodaeth yn troi o gwmpas llenwi gweddill y dydd mewn tre anghyfarwydd.

Ambell bôs croesair yn ymddangos erbyn diwedd y pryd bwyd ac, er bod 'na un neu ddau galluog iawn o gwmpas, gan gynnwys dau o raddedigion Prifysgol Durham, Alan Fordham (Cemeg) a Colin Metson (Hanes Economeg), croesair y *Sun* sy'n denu'n sylw heddiw! Matt a Cotts yn penderfynu gwella ar eu ffitrwydd trwy chwarae sboncen gerllaw a Meto'n claddu'i hunan mewn rhyw brosiect yn ymwneud â'i swydd aeaf. Y capten byth a hefyd ar y ffôn, yn trefnu mwy o weithgareddau ynglŷn â'i dymor budd. Yng nghanol y cymysgedd o Saesneg a Chymraeg yng nghaffi'r pafiliwn, Roly'n siarad ei famiaith gydag un o'r ymwelwyr cyson o'r Iseldiroedd. A'r tymor pêl-droed yn dirwyn i ben, treuliodd Jamo, Daley a Hempy y prynhawn yn trafod argoelion y gêm dyngedfennol rhwng Oldham a Spurs.

Yn y diwedd, wrth i'r glaw ddal i bistyllio i lawr, aeth Matt i wario tamed bach o'i gyfoeth ar beiriant cryno-ddisg i'n difyrru am y tymor i ddod. Ymhen dim, roedd ein stafell yn fwrlwm o leisiau Tom Jones, Elton John a Sam Cooke, yr hen ffefrynnau, ac ambell un arall. Does dim modd cadw pob Cymro'n dawel pan fo cyfle i ganu ac fe dreuliodd Watty a mi (deuawd enwog a swynodd y Caribî ym 1992!) y prynhawn yn difyrru(!) pawb trwy sefyll ar gadeiriau yn ein stafell newid yn cydganu â sêr y byd recordio. Prynhawn

gwych yn ôl Watty, ond falle y bydd trigolion North-
ampton yn gobeithio am well tywydd fory i'n cadw
ni'n dau yn dawel!

Dydd Gwener, 6ed o Fai
(Croft: 32 - 9 - 72 - 1)

Dim glaw! Haul o bryd i'w gilydd. Dim cyfle i eistedd
o gwmpas nac i ganu heddiw. Northampton yn dewis
batio gynta. Llain gymharol wyrdd ac mae 'na
ddisgwyl i'r bêl lamu tipyn. Dechrau anodd i ni, fodd
bynnag, wrth i Fordham sgorio 129 a'i gyd-agorwr,
Nigel Felton, 62. Rhaid cyfaddef iddyn nhw chwarae'n
dda gan gymryd y lwc a ddaeth i'w rhan. Fe ges i dipyn
o siom bersonol wrth i ddau faeswr adael cyfleoedd
oddi ar fy mowlio. Pan fo hynny'n digwydd, rwy'n
diflasu am eiliad neu ddwy, ond yna rhaid anghofio a
symud ymlaen at y bêl nesa. Gallai ambell fethiant fel
y rhain brofi'n gostus i ni erbyn diwedd y tymor. ac
efalle y bydd y methiannau hyn ar gydwybod y
chwaraewyr unigol ym mis Medi. Mae gan Lefebvre
le i gwyno hefyd wrth i faeswr golli cyfle i ddal batiwr
oddi ar ei fowlio yntau hefyd. Mae pob cricedwr
proffesiynol yn gwneud ei orau glas i gadw'r bêl ar y
llawr (os na fydd yn anelu at sgorio 6!) ac felly, os
bydd y bêl yn cyrraedd maeswr yn yr awyr o bryd i'w
gilydd, mae'n bwysig iawn ei dal oherwydd mae'n
annhebyg iawn y daw cyfle arall ar frys. Er gwaetha
hyn, fe ges i ddiwrnod prysur, yn bowlio 32 pelawd, 9
ohonynt yn ddi-sgôr, gan ganiatáu 72 o rediadau a

chymryd un wiced. Byddai'r ffigurau'n llawer mwy derbyniol i mi, i'r capten ac i'r tîm â 3 wiced. Mae'n rhy hwyr nawr ar ddiwedd y dydd a Northampton wedi cyrraedd 324 am 4 wiced (Rob Bailey 58 ac Allan Lamb 48).

Gwahoddiad i ginio blynyddol Clwb Rygbi Rhydbeda (Bedford) yn y nos. Taith o 21 milltir a Metson yn anghofio cau drws y tacsi! Y gyrrwr yn gyrru i ffwrdd â'i ddrws ar agor ac yn taro un o'n ceir ni. Car arall yn torri i lawr yn Rhydbeda cyn inni ddychwelyd yn weddol gynnar. Daeth y gwahoddiad i'r cinio gan un o ffrindiau mwyaf rhyfeddol Clwb Criced Morgannwg, Ian Bullerwell, y cyn-ddyfarnwr rygbi rhyngwladol. Gêm ryngwladol gynta Bullerwell oedd honno yng Nghaerdydd pan gollodd Cymru i Romania ym 1988 ac, fel arfer, mae hynny'n rhoi cyfle i ni dynnu'i goes. Ymhlith y Cymry Cymraeg yn y cinio, mae cyn-faswr arall o'r enw Gareth Davies, sy'n wreiddiol o Gefneithin. Er ei fod wedi hen ymddeol erbyn hyn, mae criw o gefnogwyr lleol yn ein perswadio mai y Gareth hwn oedd un o'r chwaraewyr rygbi gore i ddod o Gwm Gwendraeth. Trueni ein bod ni'n rhy ifanc i'w gofio!

Dydd Sadwrn, 7fed o Fai

Dim ond 20 munud o chwarae heddiw eto oherwydd y glaw trwm trwy'r dydd. Prin y newidiodd y sgôr.

Cyfle, felly, i ni ganolbwyntio ar bethau pwysig fel rownd derfynol Cwpan SWALEC rhwng Caerdydd a

Llanelli ar y Maes Cenedlaethol. Dim gobaith i ni weld y gêm ar y teledu am fod Caerfaddon yn chwarae yn erbyn Caerlŷr a honno sy'n cael y flaenoriaeth yma yn Lloegr heddiw er mawr siom i'n bechgyn ni. O'r deuddeg ohonon ni sy 'ma, fi yw'r unig un sy'n dal yn ffyddlon i Lanelli a phawb arall yn ffyddiog mai Caerdydd fydd yn ennill. Fi sy'n gyfrifol am ein cystadleuaeth i enwi sgoriwr y cais cyntaf yng Nghaerdydd. Pawb yn talu 50c i dynnu enw o het. £15 yw gwobr Ottis am dynnu enw Mike Hall a sgoriodd y cais, ac fe ges i fy siomi o weld Caerdydd yn ennill.

Am saith o'r gloch (ar nos Sadwrn, cofiwch) cyfarfod tîm yn y gwesty i drafod ein gobeithion a'n cynlluniau i geisio ailennill Cynghrair y Sul. Pethau elfennol fel trefn batio, trefn bowlio a safleoedd maesu sydd gyntaf ar yr agenda. Caiff pob aelod o'r tîm sydd am gyfrannu gyfle i wneud hynny ac mae'r cyfarfod yn un cadarnhaol. Er bod 'na (o bryd i'w gilydd) ambell rebel yn y tîm, heno rŷn ni wedi cytuno ar fformwla mae pob un yn meddwl ddaw â mwy o lwyddiant i ni. Y newid mawr o'r llynedd yw'r gostyngiad o 50 pelawd i 40 pelawd yr un i'r ddau dîm. Bydd y Suliau'n llai o ruthr felly a'r gêm yn dechrau am 2 o'r gloch (1 o'r gloch gartre!) yn lle hanner dydd fel y llynedd. Mae hyn yn golygu nad oes rhaid cyrraedd y maes tan 12 ac fe gawn gyfle i gysgu mla'n am awr fach ar y Sul.

Northampton oedd un o'r unig ddau dîm i'n curo ni ar y Sul y llynedd ac felly dyma gyfle cynnar i dalu'r pwyth yn ôl!

Dydd Sul, 8fed o Fai
(Croft: 7 - 1 - 19 - 2/rh.a.0)

Cael fy neffro am 9 o'r gloch gan ryw fand yn mynd heibio i'r gwesty. Ar fore Sul? Cofio wedyn mai diwrnod dathlu concro Hitler yn Ewrop yw hi a sylweddoli'i bod hi'n hen bryd codi beth bynnag. Wedi'r sioc gynta, rhaid cyfadde i mi deimlo rhyw wefr addas a chystadleuol wrth i'r miwsig ddiflannu i gyfeiriad canol tref Northampton. Gobeithio y gall y wefr dreiddio i'n perfformiad yn nes ymla'n heddi.

Northampton yn cael dewis batio gynta ac wrth i ni ddechrau maesu, mae'n amlwg bod ysbryd llwyddiant y llynedd yn dal i fod. Wrth iddyn nhw gyrraedd dim ond 18 am 3 wiced a 40 am 4, mae hyn yn dod yn amlwg i'r cefnogwyr sydd 'ma hefyd. Watty'n cymryd wicedi Mal Loye (ffrind arall o'r daith i Dde Affrica), Lamb a Bailey. Fe gymerais i 2 wiced am 19 mewn 7 pelawd – ffigurau digon boddhaol. Dim ond y clatsio ar ddiwedd eu batiad roddodd y cyfle iddyn nhw gyrraedd sgôr terfynol o 148. Fe gawson ni fwy o drafferth nag o'wn i'n ei ddisgwyl. Fe gollon ni wiced trwy ambell ergyd ddwl a rhedeg ffôl. Yn y diwedd, fodd bynnag, fe gyrhaeddon ni'r nod ag ergyd arbennig gan Ottis. Ar ddechrau'r belawd ola, roedd angen 5 rhediad i ennill. Ambrose i'w bowlio. Dyw hi byth yn brofiad cyffordd us wynebu Curtly, ond mewn sefyllfa fel hon does wybod at ble bydd y bêl wedi'i hanelu. Un peth sy'n sicr yw y bydd hi'n gyflym iawn ac fe fydd corff neu wiced y batiwr mewn perygl mawr! Ceisiwch osod eich hunan yn lle Ottis a sylweddoli y gallai pob pêl eich brifo'n boenus neu lorio'ch coed a'ch anfon yn ôl i'r pafiliwn heibio i garfan o gefnogwyr gwawdlyd Northampton. A beth oedd ymateb Ottis i'r peryglon hyn? Taro'r belen gynta'n syth yn ôl dros ben y bowliwr am 6 enfawr (un o'r ergydion mwya welais i erioed) i ennill y gêm, syfrdanu Ambrose a thawelu cefnogwyr clochuchel Northampton. Rŷn ni ar y ffordd!

Dydd Llun, 9fed o Fai
(Croft 33 h.f.a.)

Cytunodd y ddau gapten y caem ni'r targed o 301 i ennill oddi ar o leia 84 pelawd. Targed digon anodd i ddechrau, ond erbyn cinio roedd unrhyw obaith i ni ennill wedi diflannu wrth i ni golli 5 wiced wrth gyrraedd 24. Curtly Ambrose yn bowlio'n anghyfeillgar iawn cyn i stormydd o fellt, taranau a glaw ddod i'n hachub. Ar ddiwrnod fel heddiw rhwng y cawodydd, roedd hi'n ofer ceisio sgorio'n gyflym. Y peth pwysig oedd amddiffyn ein wicedi. Gorchwyl digon anodd wrth wynebu unrhyw fowliwr. Yn fwy anodd byth wrth wynebu Ambrose ar ei gyflyma. Cotts a fi arhosodd hira ar y llain a'r mwya'n wynebu Ambrose. Mae'n boenus meddwl am wynebu'r cawr o Antigua. Mae e'n 6 throedfedd a 7 modfedd o daldra, sy'n golygu bod y bêl yn dod at y batiwr o ryw 10 troedfedd o uchder. Y cymysgedd hwn o gyflymdra ac uchder sy'n peri ofn i fatwyr ledled y byd. Dŷch chi ddim yn gwybod o un bêl i'r nesa p'un ai amddiffyn eich wiced, eich corff neu'ch pen! Erbyn diwedd heddiw, roedd fy mhen a gweddill fy nghorff yn dal yn iach ac, yn llawn mor bwysig i weddill y tîm, roedd fy wiced yn dal i sefyll. Cyrhaeddais 33 heb fod allan a Cotts 10 heb fod allan i wneud yn siŵr mai'n hystafell ni achubodd y dydd. Y canlyniad oedd gêm gyfartal a'n sgôr terfynol ni'n 90 am 7 wiced. Dyw canlyniad cyfartal fel yma byth yn gallu cyfleu'r cyffro allan ar y llain ac fe allaf eich sicrhau i mi dreulio prynhawn digon cyffrous.

Ac nid dyna ddiwedd ar y cyffro i Cotts a mi am y dydd chwaith. Taith i lawr traffordd yr M1 i Lundain i chwarae yn erbyn Surrey fory yn yr Oval yng nghystadleuaeth Tlws B&H. Plismon mewn car mawr "brechdan jam" yn ein stopio i ofyn pa liw oedd car Cotts. Ateb parod (a chywir) Cotts oedd mai lliw porffor tywyll oedd y car. " 'Na ryfedd," atebodd y plismon, "achos mae'r car wedi'i gofrestru fel car coch!" Esboniodd yr heddwas mai un o'r pethau cynta all ddigwydd i gar wedi'i ddwyn yw i'r lliw gael ei newid. Yn ffodus roedd y papurau cofrestru a'r dogfennau yswiriant ym mag Cotts i brofi perchenogaeth y car ac ar ôl i ni addo newid y manylion cofrestredig cyn gynted â phosib, rhyddhawyd ni i gario mla'n i Lundain. Yn ffodus, roedd y plismon yn gefnogwr criced ac ar ôl i ni lofnodi darn o bapur iddo, chwifiodd ni ar ein ffordd gan ddymuno "Lwc dda fory!" Mae Surrey wedi cael cychwyn arbennig o dda i'r tymor ac fe fydd eisiau pob tamaid o lwc arnom.

Diwrnod gwir siomedig er iddo fod yn ddiwrnod cyffrous i bawb. Roedd fel bod ar siglen a'n gobeithion yn codi a disgyn trwy'r dydd. Droeon yn ystod y chwarae, rown i'n sicr ein bod yn mynd i ennill heb drafferth ac rwy'n siŵr i fechgyn Surrey fynd trwy'r un gyfres o emosiynau hefyd. Yn ddiamau, ein methiant i ddal y bêl oedd yr achos penna i ni golli'r gêm hon. Alla i ddim pwyntio 'mys at neb am i mi fy hunan ollwng cyfle oddi ar fat Alistair Brown pan nad oedd e ond wedi sgorio 12. Fe ollyngodd Ottis gyfle arall oddi ar Brown ar 20 ac fe aeth y batiwr ymlaen i sgorio 38 cyflym mewn hanner awr. Roedd cyfraniad Brown yn hollbwysig wrth iddyn nhw sgorio 60 yn ystod ei gyfnod byr ar y llain. Adrian Dale oedd y tramgwyddwr arall, yn gollwng cyfle oddi ar ei fowlio'i hunan gan Darren Bicknell pan oedd y batiwr newydd gyrraedd hanner cant. Gan i Bicknell gyrraedd 91 cyn i Ottis ei fowlio, mae'n hawdd gweld sut y gallai'r canlyniad fod wedi bod yn hollol wahanol.

Agwedd arall ar siom y dydd oedd mai dyma'r cyfle cynta i'n cefnogwyr ein gweld ar y teledu eleni. Er ein bod yn chwarae er ein mwyn ein hunain fel tîm, mae'n llawn mor bwysig ceisio plesio'r cefnogwyr bob amser.

Yn bersonol, doedd gen i, na neb arall, gŵyn am fy nghyfraniad i i'n hymdrech wrth i mi sgorio 23 heb fod allan ac yna gorffen â ffigurau o 11-2-29-2 wrth fowlio. Doedd gan neb arall well ffigurau, ond roedd colli'r cyfle i ddal Brown yn gadael blas chwerw ar ddiwedd y dydd wrth deithio adre'n drist ar ôl siom arall yn y gystadleuaeth hon.

Dydd Iau, 12fed o Fai

Cyn hir y bore 'ma, cafodd bechgyn Swydd Efrog groeso personol Watty wrth iddo gymryd dwy wiced gynnar. Ymhen dim roedd eu sgôr yn 3 am 2 wiced a'n gobeithion yn fawr. Yn anffodus, daeth gŵr arall o'r Caribî, Richie Richardson, capten India'r Gorllewin, at y llain i ddangos ei ddoniau unigryw. Fe ddangosodd Richie a'i gydymaith, Richard Blakey, pam iddyn nhw ddewis batio gynta. 50 oedd cyfanswm Richardson pan gollodd e'i wiced, ond fe barhaodd Blakey i'n poeni dros nos gan gyrraedd 91. Diwrnod hir arall yn y maes heb fawr mwy o lwyddiant ac un arall i'w anghofio.

Dydd Gwener, 13eg o Fai
(Croft:16 - 3 - 44 - 1)

Fe lwyddon ni i gadw'u sgôr i 339 a Steve Watkin yn cymryd 4 wiced. Cychwyn digon boddhaol i'n batiad ni, ond yna dechreuodd y wicedi gwympo'n rhy gyflym. 151 am 8 ar derfyn dydd ac angen 38 arall rhag i Martyn Moxon ein gorfodi i fatio eilwaith cyn ei dîm e. Peth poenus, o'm rhan i, oedd gweld eu troellwr, Richard Stemp, yn cymryd 5 wiced. Dw i'n ddigon hapus gweld troellwr da'n llwyddo, ond mae'n ddiflas os nad wyf innau'n cael rhywfaint o lwyddiant ar yr un llain.

Dydd Sadwrn, 14eg o Fai
(Croft: st. Blakey b Stemp 4)

Metson, Lefebvre a Watkin yn arbed ein croen heddiw a chyrraedd cyfanswm terfynol o 202. Siwrne i ni gyrraedd 190, doedd gan Moxon mo'r hawl i ofyn i ni fatio nesa ac felly diwrnod o faesu a bowlio oedd ein tynged ar ôl cinio. Ein tacteg nawr fydd ceisio cyfyngu'u sgôr nhw gan obeithio am darged teg ddydd Llun. Daeth y glaw am 5 o'r gloch i'n hachub a'u sgôr yn 170 am 3 wiced. Maen nhw ar y blaen o 300 union, ond mae'n debyg mai parhau i fatio am dipyn fydd eu dewis fore Llun i roi cyfle iddyn nhw ennill wrth i ni anelu at darged gweddol anodd.

Unwaith eto, ein methiant i ddal un neu ddau gyfle pwysig seliodd ein ffawd a, hyd yn hyn, mae'n rhaid cyfadde'n bod ni'n llai ffyddiog wrth faesu na'r llynedd. Heb os, mae gan y tîm ddigon o allu, ond rhaid magu'r un hyder â'r llynedd ac yna fe ddaw'r wicedi'n ddigon cyson. Does dim bai ar neb yn arbennig. Dyw'n gwaith yn gyffredinol ddim wedi cyrraedd safon uchel y llynedd eto.

Dydd Sul, 15fed o Fai
(Croft: b Gough 8/5 - 0 - 22 - 0)

Tyrfa fawr yn ein croesawu i Erddi Sophia heddiw a'r camerâu teledu yno hefyd i'n gweld fel deiliaid Tlws AXA Equity & Law. Ar ôl ennill y gêm gynta wythnos yn ôl rŷn ni, fel y cefnogwyr, yn disgwyl gwneud yn dda o flaen cynulliad mor dda. Am 25 pelawd aeth popeth yn iawn wrth i ni gyrraedd 90 am un wiced. Drama o'r math gwaetha wedyn ac ymhen dim roedd pawb allan a'r sgôr wedi cyrraedd 137 yn unig. Troellwr llaw chwith rhan-amser, Paul Grayson, gymerodd 4 wiced bwysig. Rhyfeddod iddo fe, fel i bawb arall, o feddwl nad oedd e wedi cymryd mwy nag 11 wiced mewn criced dosbarth uwch o'r blaen! Cyn dechrau'r gêm clywodd Darren Gough, cyfaill arall o'r daith i Dde Affrica yn y gaea, a bowliwr cyflyma Swydd Efrog, ei fod wedi'i ddewis i'r garfan genedlaethol ar gyfer y gêmau undydd yn erbyn Seland Newydd y penwythnos oedd i ddod. Penderfynodd "Guzzler" (hen enw ers ei ddyddiau'n bwyta byrgers a sothach tebyg!) ddathlu trwy gymryd 4 wiced i ddinistrio'n batiad.

Yn anffodus i ni ac i'n cefnogwyr, chawson nhw ddim trafferth ennill y gêm â 2 belawd yn sbâr a cholli 1 wiced yn unig. Pawb yn ddiflas iawn yn ein stafell wedyn ond yn benderfynol y byddem yn gweithio mor galed â phosib i wella'r sefyllfa. Alan Jones yn addo digon o waith a mwy o ymarfer i ni gyd!

Pawb yn cytuno bod fory hefyd yn bwysig iawn i ni am fod gennym ddeng niwrnod yn rhydd o'wrth griced cystadleuol ar ôl fory. Rhaid i ni berfformio'n dda neu fe fydd y Wasg ar ein holau ni!

Dydd Llun, 16eg o Fai

Glaw! Glaw dros nos ac yn parhau ar y daith o gartre i Gaerdydd. Dim gobaith i ni anelu at y targed o 300 felly, ond bechgyn Swydd Efrog yn ysu am ein bowlio allan. Cannoedd o wylanod yn nofio yn y pyllau o gwmpas y maes am 10 o'r gloch. Dim gobaith chwarae cyn cinio. O leia dair awr i'w lladd.

Galwodd ein *guru* dillad, Matt, gyfarfod o'i bwyllgor yn un o siopau'r ddinas. Aelodau'r pwyllgor heddiw oedd Matt, Watty, y gwrth-*guru*, a mi. Roedd angen cyngor ar Watty wrth brynu pâr newydd o drowsus rib da. Ymateb swrth Matt oedd na ddylid defnyddio'r geiriau "rib" a "da" gyda'i gilydd i ddisgrifio'r un dilledyn! Cyn hir perswadiwyd Watty i brynu crys o batrwm brith yn lle'r trowsus ac yna daeth cyfoeth taith y Caribî i'r amlwg wrth i Mr Maynard brynu siwt fusnes foethus. (Bydd hyn yn siŵr o achosi tynnu coes yn ôl yng Ngerddi Sophia.) Do, fe brynais grys rhad, ond fe aeth e'n syth i gefn fy nghar cyn i neb arall gael cipolwg arno. Bu rhaid, felly, i Watty ddiodde'r tynnu coes arferol gan Cotts: "O'dd rhaid i ti ddefnyddio cadair o draeth y Barri i wneud crys?" neu "Pam wyt ti'n gwisgo crys garddio dy dad?" neu "Wyt ti ar dy ffordd i angladd?"

Roedd hi'n 2.10 o'r gloch cyn i H a Jamo gerdded i'r llain i gwrso 302 o rediadau mewn 59 pelawd. O fewn 50 munud, roedd y ddau yn ôl yn y pafiliwn –

yng nghwmni'n gwrthwynebwyr. Am yr ail ddydd Llun yn olynol, daeth y glaw i'n hachub. Na, ni chollon ni'r un wiced heddiw a dyna ddiwedd ar griced cystadleuol tan i ni gyrraedd Hove wythnos i ddydd Iau. Hove, wrth gwrs, oedd y man lle dioddefon ni'n hunlle waetha y llynedd wrth golli i Sussex yn rownd gynderfynol Tlws NatWest.

Dydd Mercher, 18fed o Fai

Gêm yn Nhre Iago, Caerfyrddin, fel rhan o dymor budd y capten. Tîm cryf o oreuon Cynghrair De Cymru i'n hwynebu ac felly'n tîm gorau ni yno hefyd. Cyn dechrau, collwyd fy ngwasanaeth i gan i ryw wenwyn bwyd daro fy stumog.

Treuliais ddeuddydd yn fy ngwely a diolch byth na chollais yr un gêm gystadleuol o'r herwydd. Ni all chwaraewr proffesiynol fforddio bod yn sâl yn hir yn ystod ei dymor rhag ofn i'w yrfa gael ei thorri'n fyr. Yn ôl nifer o'r bechgyn, roedd eisiau i mi golli pwysau, ond rwy'n siŵr fod 'na well ffordd na hyn o wneud hynny!

Galwodd Cotts heibio gyda'r nos â'r newyddion fod Morgannwg wedi ennill gêm glòs iawn â 3 rhediad yn sbâr.

Dydd Iau, 19eg o Fai

Gorwedd yn fy ngwely'n teimlo'n sâl a thrist yn gwylio Shaun Udal ar y teledu'n troelli i'r tîm rhyngwladol yn erbyn Seland Newydd yn Edgbaston. Fe chwaraeodd e'n dda, ond fe hoffwn i fod wedi bod yno yn ei le.

Dydd Gwener, 20fed o Fai

Teimlo'n llawer gwell heddiw. Digon iach i fynd i Gaerdydd i ymarfer yn y rhwydi yn y bore. Clywed fod Dale, Maynard, Cottey a Hemp wedi gofyn am gael chwarae dros yr Ail Dîm mewn gêm undydd yng Nghaerwrangon. Y pedwar yn teimlo fod angen ymarfer mewn gêm gystadleuol arnyn nhw yn lle gweithio ar dechneg yn y rhwydi o dan lygaid barcud Alan Jones. Metson wedi mynd i'r ysbyty i gael prawf pelydr-X ar ei law. Fe'i trawyd e gan bêl gyflym Darren Gough ddydd Sul. Y canlyniad yw iddo fe dorri asgwrn bach rywle yng nghefn ei law. Anghyfforddus iawn ac anffodus i wicedwr. Rhywun arall sy'n ffodus nad yw'n colli gêm gystadleuol. Os na fydd wedi gwella erbyn yr wythnos nesa, caiff Adrian Shaw ei gyfle i chwarae ei gêm gynta.

Dydd Llun, 23ain o Fai

Ymarfer yn y rhwydi yng Nghaerdydd heddiw eto, Pawb yma i baratoi ar gyfer y gêm yn Hove ddydd Iau. Newyddion drwg am Matthew Maynard i ddiflasu pawb. Fe dorrodd e esgyrn yn ei law yng Nghaerwrangon ddydd Gwener a does dim gobaith iddo chwarae am bythefnos. Y newyddion gwaetha posib, ond fe gaiff rhywun ifanc gyfle i wneud enw iddo'i hunan.

Gorffen yn y rhwydi am 1 o'r gloch a chyrraedd adre erbyn 2. Cinio gyda Mam a Mam-gu Bale cyn casglu Cotts am bedwar i fynd i bysgota. Rwy'n hen law ar lan afonydd lleol, ond dyma'r tro cynta i Cottey fentro. A sôn am lwc dechreuwr! O fewn dim, fe ddalioddd e frithyll pwys a hanner. Ches i fawr ddim lwc am amser cyn llwyddo i ddal un yn pwyso pwys yn unig.

Roedd hi'n ddoniol gweld Anthony Cottey, y batiwr a'r pêl-droediwr celfydd, yn taflu'i wialen bysgota o'i gwmpas fel clown. Gydag ychydig o ymarfer, fe fydd ei dechneg yn siŵr o wella, ond yn y cyfamser, enillodd e'r gystadleuaeth heno. Mae'n siŵr ei fod e wedi meistroli'r dechneg rywfaint yn barod!

Fe dynnodd un pysgodyn fy ngenwair o'm dwylo. Rhywbeth nad oedd erioed wedi digwydd i mi o'r blaen. Roedd Cotts wrth ei fodd yn chwerthin am fy mhen, ond fel y dywedais wrtho, roedd y pysgodyn yn siŵr o fod yn un enfawr i allu tynnu'r wialen o'm gafael!

Dydd Mawrth, 24ain o Fai

Cyfarfod yng Nghaerdydd heddiw ond, yn rhyfedd, nid yn y rhwydi ond yn y pafiliwn. Sesiwn gyda'r seicolegydd, John Attenborough. Mae John yn arbenigwr sy'n gweithio gyda chwaraewyr o bob math. Bu'n gweithio gyda ni y llynedd ar ein taith i Cape Town, De Affrica, cyn dechrau'r tymor gartre. Creodd argraff dda arnon ni i gyd y llynedd ac roedd pawb yn falch cael cyfle i dreulio diwrnod yn ei gwmni unwaith eto. Trafodwyd pethau fel hyder, safle unigolion yn y tîm, trefniadau ymarfer, naws y tîm ac, yn bennaf oll, ennyn y gred yn ein *gallu* i ennill.

Wrth gwrs, mae'r rhan fwyaf o chwaraewyr unrhyw gêm yn colli hyder o bryd i'w gilydd yn ystod eu gyrfa ac mae sgwrsio am y problemau fel hyn yn rhoi cyfle i bawb ganolbwyntio ar eu cryfderau nhw'u hunain a'u cyd-chwaraewyr. Ar ddiwedd y cyfarfod, cerddodd pawb allan yn llawn hyder unwaith eto ac yn ffyddiog y byddai pethau'n gwella.

Dydd Mercher, 25ain o Fai

Fy mhen blwydd yn 24 blwydd oed. Blwyddyn yn hŷn a gobeithio fod 'na flwyddyn dda o brofiad wedi'm trwytho ar gyfer y dyfodol.

Ar ôl derbyn dymuniadau gore'r teulu a Marie, galw ar Cotts a theithio i Gaerdydd i ymarfer yn y rhwydi fel arfer. Yr unig beth gwahanol heddiw yw ambell bêl gyflymach nag arfer yn gwibio heibio 'nhrwyn yn anrhegion gan Watkin, Gibson a Lefebvre! Dim parti ar y diwedd, ond taith hir i Hove a chyfle i dalu'r pwyth yn ôl i Alan Wells a'i dîm. Wedi blino gormod i feddwl am ddathlu ar ôl cyrraedd y gwesty.

Dydd Iau, 26ain o Fai

Fawr iawn o ddim i sôn amdano. Glaw yn golygu rhoi'r gorau am hanner dydd i'n gobeithion am chwarae heddiw. Cottey'n cloi'i hunan i mewn yn y fan sy'n cario tipyn o'n cyfarpar i gêmau. Digwyddiad digon digri ar yr wyneb, ond brawychus iawn i rywun fel Cotts, sy'n diodde o glawstroffobia. Dim ffenestri i alluogi rhywun i dynnu sylw. Roedd e yno yn y tywyllwch am ugain munud tan i un neu ddau ohonon ni ddigwydd cerdded heibio a'i glywed yn gweiddi a chicio ochrau'r cerbyd! Pan sylweddolodd Watty pwy oedd yno, roedd e'n daer am ei adael yn ei argyfwng, ond penderfynwyd ei ryddhau. Erbyn iddo'i ollwng yn rhydd, roedd fy ffrind mawr/bach yn chwysu, yn fyr o wynt, yn welw a phryderus. Yn bennaf oll, roedd e'n falch gweld golau dydd unwaith eto.

Ar ôl cinio yn y pafiliwn, aeth y mwyafrif ohonom i'r sinema am y prynhawn ac un neu ddau i brynu mwy o ddillad newydd. Cyfle arall i wario cyflog cyn ei ennill!

Heno, aeth nifer go dda o Glwb Morgannwg i gefnogi noson snwcer a phŵl oedd yn rhan o weithgareddau tymor budd David Smith, un o

Robert Croft a Colin Metson. Llun: Huw John

chwaraewyr mwya profiadol Sussex. Mae e wedi chwarae criced o'r safon ucha ers 20 mlynedd dros Surrey, Caerwrangon ac yn awr Sussex, ac yn haeddu cefnogaeth.

Dydd Gwener, 27ain o Fai
(Croft: h.f.a.13)

Sussex yn cael dewis ac Alan Wells yn gofyn i ni fatio'n gynta. Dyma gychwyn newydd i'n tymor, ond dyw eu hymosod nhw ddim yn un hawdd i'w wynebu. Mae Franklyn Stephenson a Paul Jarvis yn fowlwyr cyflym da, ond batiodd Morris a Dale yn wych i sgorio cant yr un a Hemp yn gwneud yn dda i basio 50 unwaith eto. Diwrnod digon llwyddiannus i ni wrth inni gyrraedd cyfanswm o 384 am 5 wiced erbyn y diwedd.

Un eithriad nodedig oedd profiad Cotts. Am yr eilddydd yn olynol, fe gafodd brofiad annifyr iawn. Wrth geisio taro pêl gan Jarvis at y ffin, pan oedd y golau'n dechrau pallu ar ddiwedd y dydd, methodd â chyffwrdd â'r bêl â'i fat. Trawyd ef gan y bêl yn y fan sy'n peri i lygaid rhywun ddyfrhau! Gwelais hyn yn digwydd i gricedwyr droeon o'r blaen, ond dyma'r gwaetha erioed, yn fy mhrofiad i. Syrthiodd fel sach o datws ac roedd Dean Conway wrth ei ochr mewn fflach i weinyddu cymorth cynta. Ar yr olwg gynta, credai nifer ohonom y byddai'n rhaid mynd ag e i ysbyty i gael triniaeth, ond doedd dim angen yn y pen draw. Roedd 'na dipyn o dynnu coes ynglŷn ag angen chwydd-wydr ar y meddygon yn yr ysbyty!

Dydd Sadwrn, 28ain o Fai
(Croft: 36 h.f.a.)

Y trydydd diwrnod diflas yn olynol i Cottey heddiw. Pan gyrhaeddon ni 'i gar ym maes parcio'r gwesty, roedd rhywun wedi torri i mewn iddo a dwyn y radio, ond yn gorfforol, fodd bynnag, mae e'n teimlo'n llawer gwell.

Criw go dda o gefnogwyr, "Yr Orielwyr", wedi cyrraedd ddoe ac yn mwynhau'n gweld ni'n cyrraedd 435 am 6 wiced cyn cloi'n batiad. Mae John Williams, sy'n cadw siop papurau newydd yn Sgeti, Abertawe, yn un o'n cefnogwyr seloca a mwya brwdfrydig ac yn trefnu teithiau i lawer o'n gêmau oddi cartre. Hyfryd yw gweld "Yr Orielwyr" yn cymeradwyo Cotts (27 heb fod allan) a mi (36 h.f.a.) wrth i'r capten ein galw i'r pafiliwn.

Wedi colli diwrnod cyfan ar ddechrau'r gêm, fe lwyddon ni i'w cyfyngu i 300 am 5 wiced pan benderfynodd Wells gloi'u batiad i geisio'n perswadio i osod targed teg dydd Llun. Fe gymerodd Dale a Gibson 2 wiced yr un a Bastien y llall. Ches i fowlio ond 8 pelawd, ond gobeithio mai dydd Llun fydd fy niwrnod. Does 'na ddim yn y llain hyd yn hyn i galonogi troellwr, ond pwy a ŵyr? Fe sgoriodd James a Morris 40 h.f.a. yn ein hail fatiad erbyn diwedd y chwarae am heddiw gan addo diwrnod diddorol ac efalle un cyffrous i ddod dydd Llun.

Allan am bryd o fwyd gyda'n gilydd fel tîm i geisio ennyn mwy o ysbryd '93. Gwaith David Hemp oedd trefnu'r noson a doedd gan neb le i gwyno am iddo ddewis lle digon boddhaol. Pawb yn cytuno ar ddiwedd y noson fod yr achlysur yn llwyddiant a ddylai'n helpu o hyn ymlaen.

Dydd Sul, 29ain o Fai
(Croft b. Giddins 23/4.4-0-21-1)

Stori ddiflas i'w hadrodd heno. Fe gollon ni. Yn nhermau criced, fe'n dinistriwyd ni'n llwyr. Doedd ein cyfanswm o 139 ddim yn ddigon o bell ffordd. Fe lwyddodd bowlwyr Sussex i dorri pob partneriaeth cyn i ni fedru setlo i lawr.

Ein hunig obaith oedd y tywydd. Roedd y rhag-olygon yn addo stormydd o fellt, taranau a glaw trwm. Yn anffodus, daeth y storm yn rhy hwyr o lawer i'n hachub. Er cymaint yw diflastod colli heddiw eto, rhaid cofio nad oedd ein sefyllfa yng Nghynghrair y Sul yn well erbyn diwedd mis Mai y llynedd nag yw e nawr. Rhaid dal ati felly i chwarae'n galed a gobeithio am well lwc.

Un peth a barodd ddiflastod heddiw oedd agwedd cefnogwyr Sussex aton ni. Roedd y rhan fwyaf yn iawn, ond roedd ambell garfan yn sarhaus iawn ynglŷn â'n Cymreictod. Mae pawb yn ein tîm yn ddigon parod i dderbyn tipyn o dynnu coes o bryd i'w gilydd, ond does dim lle i'r ymddygiad amharchus y bu'n rhaid i ni'i ddiodde'r prynhawn 'ma. Gall tipyn o gellwair rhwng maeswyr a chefnogwyr ychwanegu at awch y gêm weithiau. Doedd agwedd y criw yma heddiw, fodd bynnag, ddim yn haeddu llai na'n dirmyg mwya.

Dydd Llun, 30ain o Fai
(Croft: 22-5-71-2)

Cytunodd y ddau gapten y bore 'ma y byddai Sussex
yn cael cwrso 320 o rediadau ar ôl cinio. Roedd y llain
yn un dda i fatio arni a byddai'n rhaid i'r bowlwyr fod
ar eu gorau i'w cadw rhag cyrraedd y targed. Doedd
'na fawr o gymorth ynddo i'r bowlwyr a'r gobaith felly
oedd y byddai'r batwyr yn esgeulus ac yn colli'u wicedi.

Fe lwyddon ni i gadw pethau'n ddigon clòs, ond
wrth i ni geisio manteisio ar bethau, doedd 'na ddim
mwy yn y llain i ni. Gêm ddiganlyniad arall ar ddiwedd
y chwarae felly, ond gwyddai pawb fod pethau'n
gwella. Rhaid dal ati i gadw'r momentwm. Dim byd
arall nawr heblaw am daith hir o 4 awr adre i'r Hendy.
Yna cofio'i bod hi'n Ŵyl y Banc ac y bydd 'na
drafnidiaeth enbyd ar yr M25; 6 awr i gyrraedd adre
felly!

Dydd Iau, 2il o Fehefin
(Croft: 19-4-43-0)

Ein gêm gynta yn Abertawe eleni a chyfle i gael
brecwast gweddol o hamddenol cyn teithio'r 12 milltir
i San Helen i wynebu Surrey sydd ar frig y ben-
campwriaeth. Eu dewis nhw unwaith eto yw hi; fe'n
gorfodwyd i faesu. Llain ddigon boddhaol i fatio arni
ac i ffwrdd â Surrey ar garlam. Roedd eu capten, Alec
Stewart, yn absennol ar ddyletswydd gyda'r tîm
rhyngwladol. Er i ni gael un llwyddiant cynnar pan

oedd y sgôr yn 33, erbyn i'r glaw ddod amser te roedd eu cyfanswm o 260 am 5 yn addo problemau i ni. Buom yn ffodus iawn i gipio wicedi Darren Bicknell (54) a Graham Thorpe (65) pan oedd y ddau'n bygwth chwalu'n bowlio ni'n yfflon.

Dydd Gwener, 3ydd o Fehefin
(Croft: 33-4-103-1)

Hwn oedd un o'r dyddiau rhyfedda o griced a welwyd yn Abertawe. Er i'r glaw a'r hanner tywyllwch amharu ar fwynhad pawb, y gwynt cryf iawn fydd fy nghof penna i o'r diwrnod. Dw i ddim yn credu y dylid chwarae criced mewn gwyntoedd mor gryf â hyn. Fe chwythwyd drosodd y llenni gwyn y tu ôl i'r bowlwyr sawl gwaith ac roedd hi'n anodd i'r gofalwyr gadw'r gorchudd yn llonydd pan ddeuai cawodydd.

Yn yr amgylchiadau eithafol hyn, roedd bowlio'n anodd ar y gore ac yn amhosib o bryd i'w gilydd. Mae pob bowliwr yn ymarfer rhedeg at y llain am oriau ac yn disgwyl cyrraedd yno'n teimlo'n gyfforddus bob tro wrth anelu'r bêl at y batiwr. Heddiw, fodd bynnag, fe chwythodd y gwynt ar y bowlwyr i gyd nes peri i bob un golli'r rhythm sy'n cymryd blynyddoedd i'w sefydlu. Manteisiodd batwyr Surrey ar ein problemau yn ystod y gwaetha o'r tywydd a chyrraedd 427, gydag Adam Hollioake yn cyrraedd 105 h.f.a. Fe gyfrannodd Mark, mab ein cyn-gapten, Alan Butcher, a brawd un o'n chwaraewyr ifanc, Gary Butcher, 58, a'n gobaith fel clwb yw y bydd Gary'n datblygu'n gystal cricedwr â'i frawd.

Yr unig aelod o'n tîm i weld unrhyw lwyddiant oedd Steve Watkin a gymerodd 4 wiced dros y deuddydd. Gorfododd y glaw ni i dreulio egwyl hir yn y pafiliwn cyn i'n batwyr cynnar gyrraedd 47 am 2 erbyn y diwedd.

Dydd Sadwrn, 4ydd o Fehefin

Dylai hwn fod wedi bod yn ddiwrnod mawr i'n dilynwyr yng Ngorllewin Cymru, ond er bod y gwyntoedd wedi'n gadael mae'r glaw'n parhau. Doedd pethau ddim yn addawol wrth i mi adael yr Hendy a chroesi Afon Llwchwr ar y draffordd. Erbyn cyrraedd ardal Sgeti a cheisio edrych ar draws Bae Abertawe, 'na lle'r oedd glaw niwlog yn cuddio Aberafan a phobman arall. Cawsom ugain munud o chwarae tuag un o'r gloch gan gyrraedd 65 heb golli wiced arall cyn i'r glaw trwm ddychwelyd. O leia roedd gêm rygbi rhwng De Affrica a Lloegr ar y teledu i'n difyrru am dipyn. Noswaith dawel gyda'm teulu a Marie mewn tŷ cynnes heno i gysgodi rhag y glaw.

Dydd Sul, 5ed o Fehefin

Mae'n cefnogwyr yn disgwyl yn eiddgar i ni ddechrau ennill ar y Sul, fel y gwnaethon ni y llynedd, ond dyw argoelion y tywydd ddim yn addawol. Araf iawn oedd pethau am yr awr gynta ac fe gymerodd 27 pelawd i James a Morris gyrraedd 100. O fewn dim, roedd James allan am 39 a'n cyfanswm yn 104. Brasgamodd Dale at y llain ac fe allech daeru 'i fod e wedi mynd â bocs o dân gwyllt, neu rywbeth tebyg, a'i roi i'r capten! Bu Watty a mi draw am sgwrs yng nghwt y Wasg a dyna lle'r oedd pawb yn estyn am eu llyfrau hanes criced wrth i'r capten daro'r bêl i bob cwr o'r maes. Gan guro saith 6 daeth Hugh Morris yn gydradd â'r cewri Roy Fredericks a Majid Khan a bu bron iddo'u curo nhw wrth i'r bêl syrthio lathen neu ddwy o'r ffin sawl gwaith. Record newydd i'n capten oedd ei gyfanswm o 127 (h.f.a.) ar y Sul ac fe gafodd help mawr gan Dale (43 h.f.a.). Y gred ymhlith y Wasg oedd nad oedd cyfanswm y tîm o 220 am 1 wiced yn ddigon. Chawn ni byth mo'r ateb gan i law ddoe ddychwelyd ar ôl i ni fowlio 8 pelawd â sgôr Surrey yn 46 am 1 wiced. Er iddyn nhw gychwyn yn gyflym, ein cred ni allan ar y maes oedd y bydden ni'n cipio wicedi'n gyson i'w cadw rhag cyrraedd y nod. Beth bynnag am hynny, bu'r capten yn brysur yn rhoi cyfweliadau di-rif ar wahanol raglenni radio cyn i'r dyfarnwyr benderfynu ychydig cyn 6 o'r gloch nad oedd y glaw'n mynd i beidio. Ymdrech fawr Hugh Morris yn ofer a'n cefnogwyr yn gorfod diodde rhannu'r pwyntiau.

Syrpreis mawr y dydd oedd gweld Vivian Richards yn camu i mewn i'n stafell newid yn wên o glust i glust. Digwydd bod ym Mhrydain am ychydig ddiwrnodau ac fe gyrhaeddodd mewn pryd i weld H ar ei orau. Trueni na fyddai wedi dod â thipyn o haul Antigua gydag e! Cafodd groeso mawr gan y cefnogwyr, hyd yn oed yn y glaw.

Dydd Llun, 6ed o Fehefin

Deffro'r bore 'ma i glywed y glaw trwm yn erbyn y ffenest. Rhaid mynd i Abertawe beth bynnag, ond dyw Cotts na minnau ddim yn disgwyl llawer o chwarae heddiw. Bechgyn Surrey'n mynd yn ôl i Lundain i chwarae yn rownd gyn-derfynol cystadleuaeth B&H a'n gadael ni ar waelod y bencampwriaeth. Dim modd i ni grafu pwynt arall neu ddau allan o'r gêm hon yn y glaw, ond fe fyddwn ni'n gwneud ein gore glas i wella pethau o hyn ymlaen.

Dydd Mawrth, 7fed o Fehefin

O leia mae glaw'r penwythnos wedi troi'r afonydd a'r llynnoedd yn hafan i bysgotwyr. Diwrnod rhydd a chyfle i roi gwers arall i Anthony Cottey, y cyw bysgotwr. Cyfle hefyd i anghofio am griced am ddiwrnod cyfan ac ymlacio rywfaint. Dim gormod, fodd bynnag, wrth i'r prentis bach 'y nghuro i eto! Fe ddaliodd e frithyll oedd yn pwyso 3 phwys – bron ddwywaith maint f'un mwya i. Un cysur bach oedd i mi ddal tri physgodyn i'w un ef.

Cyfle heno i fynd am gyrri gyda Marie. Mae'r ddau ohonon ni'n hoff iawn o fwyd Indiaidd a dyma gyfle i dreulio noson gyda'n gilydd gan y byddaf i ffwrdd yng Nghaer-grawnt dros y penwythnos. Mae llawer o bobl yn anghofio 'mod i, fel pob cricedwr proffesiynol, yn treulio sawl penwythnos oddi cartre dros yr haf. Gall fod yn unig i gariadon a gwragedd cricedwyr wrth iddyn nhw weld eu ffrindiau'n mynd allan gyda'u partneriaid ar nos Sadwrn tra'u bod nhw'n aros am alwad ffôn o ben pella Lloegr. Nos Fawrth yw ein penwythnos ni'r tro yma, ac o leia does dim trafferth cael bwrdd heno heb gynllunio ymlaen llaw!

Dydd Mercher, 8fed o Fehefin
(Croft: b. Hart 31)

Gan ein bod allan o gystadleuaeth B&H, cyfle i chwarae yn erbyn yr ymwelwyr o Seland Newydd yn Abertawe. Y tywydd wedi gwella a'r maes wedi sychu er dydd Llun. Cyfle i bob un sy'n anelu at chwarae criced rhyngwladol fesur ei allu yn erbyn y chwaraewyr o "Dir y Cwmwl Gwyn Hir".

Am unwaith, Hugh Morris yn galw'n gywir ac yn cael dewis batio gynta. Y gred yw y bydd y llain yn gwaethygu erbyn dydd Gwener gan gynnig mwy o gymorth i'r bowlwyr tua diwedd y gêm. Fy ngobaith mawr i yw y bydd y bêl yn troelli rywbryd gan nad yw'r llain wedi fy helpu i lawer eleni.

Ar un adeg heddiw roedd ein sgôr yn 74 am 4 wiced a phethau'n edrych yn ddigon diflas. Fe wellodd pethau wrth i'r bowlwyr flino ac roedd ein cyfanswm o 361 ar derfyn y chwarae yn un digon parchus. Y cyfranwyr penna oedd y capten (84) ac Ottis (85). Bu'n rhaid chwilio am y bêl ym mhob cwr o gae San Helen ac, o bryd i'w gilydd, ar y traeth, wrth i'r gŵr o Barbados wefreiddio torf ddigon boddhaol am ddydd Mercher. Tra oedd Gibson yn taro'r bêl yn galetach na neb arall, daeth cyfraniadau gwerthfawr oddi ar fatiau'r crwt ifanc Andrew Roseberry (45) a Colin Metson (48). Fe lwyddais i i sgorio 31 ac ar ddiwedd diwrnod digon boddhaol, roedd pawb yn obeithiol am yfory.

Dydd Iau, 9fed o Fehefin
(Croft 33-9-98-1/b. Davies 6)

Cychwyn boddhaol iawn y bore 'ma wrth i Watty gipio wiced â'i bêl gynta ac yna Steve Bastien yn cipio dwy wiced. Gyda'u cyfanswm ar un adeg yn ddim ond 60 am 3 roedd ein gobeithion yn uchel iawn. Yna fe welson ni un o dalentau newydd y byd criced wrth ei waith. Doeddwn i erioed wedi clywed am Stephen Fleming tan eleni, ond mae'n amlwg y bydd e'n un o hoelion wyth y *Kiwis* am gyfnod hir. Wrth ei weld e'n cerdded o gwmpas y pafiliwn mewn crys rygbi ac yn chwarae byth a beunydd â phêl rygbi, hyd yn oed wrth fynd am dro trwy'r dorf am sgwrs 'da bois y Wasg, gallech dyngu mai aelod o'u Crysau Duon nhw yw e. Os yw e'n gallu trafod pêl rygbi hanner cystal â bat griced, mae e'n dalentog dros ben. Heddiw roedd ei sgôr o 160 yn ddigon o dystiolaeth i ni i gyd. Roedd cyfraniad Mark Greatbatch o 30 yn un pwysig wrth iddo gynorthwyo Fleming ar gampwaith o fatiad.

Yn bersonol, diwrnod digon diflas ges i, â'r bêl yn troi ychydig bach yn unig ambell dro. Ches i ddim lwc wrth i'r bêl basio'r bat sawl gwaith yn ystod y dydd. 'Sdim ots, os llwyddwn ni i gynnig targed o 250 neu fwy i'r ymwelwyr yfory, fe gaf ail gyfle i geisio cipio cnwd o wicedi ar y llain sy'n addo bod yn gynorthwyol iawn erbyn y trydydd diwrnod.

Fe gaeon nhw'u batiad 80 ar ein hôl ni ac fe ychwanegon ni 50 am 3 erbyn i'r chwarae orffen. Digon o waith felly bore fory i'n batwyr osod targed teg i Seland Newydd. Gyda llaw, ces fy nghyfle cynta i agor y batiad dros Forgannwg. Gan i mi sgorio 6 yn unig, gobeithio y gallaf gipio mwy o wicedi yn ail fatiad yr ymwelwyr.

Dydd Gwener, 10fed o Fehefin
(Croft: 26-2-120-1)

Bore Anthony Cottey heddiw wrth iddo sgorio 90 gwych h.f.a. Rhoddodd perfformiad Cotts y cyfle i Hugh Morris gau'n batiad amser cinio gan osod nod o 306 i Seland Newydd. Ein teimlad oedd na fyddai'r targed o fewn eu cyrraedd tra byddai'n maeswyr yn ymosod yn agos at y bat. A'r bowlwyr yn ymosod hefyd, roeddem yn ffyddiog o ennill y dydd.

Rhywbeth diddorol ynglŷn â gêmau yn erbyn ymwelwyr tramor yw fod 'na garfan go dda o'r Wasg yn dilyn hynt a helynt eu taith. Weithiau bydd nifer go dda draw o'r wlad dramor, ond doedd 'na ddim ond dau eleni. Don Cameron (sy'n enwog am ysgrifennu am rygbi hefyd) a gŵr ifanc o'r enw, o bopeth, England. Ynghyd â nifer o Gymry, daeth sawl sylwebydd o bapurau Llundain hefyd ac, wrth gwrs, cyn gadael Abertawe roedd yn rhaid iddyn nhw dreulio un awr ginio'n hel atgofion yn nhafarn y Cricketers gerllaw'r maes.

Cychwyn rhyfeddol o dda gan Steve Watkin yn bowlio'i bum pelawd gynta'n ddi-sgôr. Mae'n amlwg fod y sylwebyddion wedi mwynhau'u hatgofion yn fwy nag arfer oherwydd fe glywais sôn na welodd y rhan fwyaf ohonyn nhw – heblaw am Cameron, England a nifer o Gymry – y pum pelawd arbennig o dda gan Watty! Petai e wedi cael y lwc roedd e'n ei haeddu a chipio 3 neu 4 wiced, tybed sut y byddai'r sylwebyddion wedi llwyddo i ysgrifennu am bethau nas gwelson nhw?

Roedden nhw i gyd yn ôl mewn pryd i weld arwr y dydd a chapten Seland Newydd, Ken Rutherford, yn sgorio 100 cyflyma'r tymor – oddi ar 71 pêl yn unig. A hyn wedi iddo fethu â sgorio oddi ar y 14 pêl gynta iddo'u hwynebu! Doedd 'na fawr o ddim o werth i Forgannwg ar ôl cinio heddiw heblaw am fowlio Watkin – 'nôl i'w safon uchel. Fe haeddai e well na'i 1 wiced am 20. Rutherford gipiodd wobr y noddwyr (wedi'i enwebu gan y Wasg!) i unigolyn gore'r gêm, tra oedd pawb o fechgyn Morgannwg yn llawn embaras yn sgil canlyniad mor wael. Prynhawn diflas arall wrth i Seland Newydd ennill yn gyfforddus.

Dydd Sadwrn, 11eg o Fehefin
(Croft: 2.2-1-1-0)

Blinedig iawn y bore 'ma ar ôl y daith hir i Gaer-grawnt neithiwr. Cyfle gwych i gael tipyn o ymarfer mewn gêm gyfeillgar ac eto'n un gystadleuol. Atgofion hapus o Fenners ym 1993 ac i mi sgorio 107 yma, sgôr ucha 'ngyrfa hyd yn hyn. Steve Barwick yn gapten ac yn galw'n gywir. Roedd e wedi blino hefyd ac felly'n dewis batio gynta er mwyn gorffwys am awr neu ddwy a chymryd mantais o fod yn fowliwr! Roedd y llain yn wlyb a phetai hon yn gêm gynghrair fe fydden ni wedi dewis bowlio gynta. Doedd bowlwyr y brifysgol ddim o safon uchel a sgoriodd James a Dale gant yr un ac fe gaeodd y capten ein batiad ar 307 am 2 wiced. Fe gipiais i wiced yn agos at derfyn y chwarae.

Ar ôl diwrnod o orffwys i mi yn y pafiliwn, rhaid oedd mynd am dro ar noson mor hyfryd. Does unman gwell na Chaer-grawnt i fynd am dro yn heulwen canol haf ac fe gafodd criw ohonon ni gyfle i edrych ar y colegau wrth gerdded ar lan yr afon cyn aros am hanner awr (dim mwy, wir i chi!) yng ngardd un o'r tafarnau. Cyfle i wylio rhai o'r myfyrwyr oedd newydd orffen eu harholiadau'n mwynhau rhwyfo. Un neu ddau, credwch neu beidio, yn neidio i'r afon o'r bont!

Dydd Sul, 12fed o Fehefin
(Croft: 37-11-100-1)

Heb fawr o wlith dros nos, fe sychodd y llain cyn dechrau'r chwarae. Doedd 'na ddim cyflymdra i helpu Lefebvre, Bastien a Dale a doedd y bêl ddim yn llamu yn y ffordd y bydd ei angen ar fowlwyr fel Barwick a fi. Heb unrhyw gymorth i'r bowlwyr felly, doedd 'na fawr ddim o berygl i fatwyr cyffredin iawn. Yr un eithriad i fatwyr cymedrol y brifysgol oedd Russell Cake a sgoriodd gant yn ddigon cyfforddus. Daeth enw Cake i'r amlwg flwyddyn yn ôl pan sgoriodd e gant yn erbyn yr ymwelwyr o Awstralia gan roi cyfle i awduron penawdau'r papurau Saesneg ddefnyddio'i gyfenw mewn ffordd ddigri. Beth bynnag am hynny, mae e'n fachgen addawol iawn ac ar lyfrau Swydd Surrey. Rwy'n siŵr o gwrdd ag e nifer o weithiau yn y dyfodol a gobeithio na fydd e'n gymaint o boen i Forgannwg ag yr oedd e heddiw!

Fe gaeon nhw'u batiad hanner awr cyn y diwedd a'u cyfanswm 244 yn gwbl seiliedig ar gyfraniad Cake.

Dydd Llun, 13eg o Fehefin
(Croft: 14-2-5-47-2)

Yn anffodus, fe gollodd ein gŵr ifanc o Sunderland, Andrew Roseberry, ei wiced ar ôl cyrraedd 94. Roedd ei wyneb yn llawn siom wrth iddo gyrraedd y pafiliwn mor agos at sgorio'i gant cynta ar lain oedd mor gynorthwyol. Caeodd Barwick ein batiad i adael nod o 260 i'r brifysgol. Fe gipion ni 2 wiced yn 'o fuan a gweld Cake yn camu'n hyderus i'n hwynebu am yr eilddydd yn olynol. Daeth criw o fyfyrwyr i wylio'u harwr ifanc ac roedd 'na dipyn o awyrgylch parti diwedd tymor hwnt ac yma o gwmpas y ffin. Bu rhaid i un neu ddau symud yn 'o gyflym wrth i Cake ymuno yn y dathlu a tharo'r bêl yn rymus i bob cyfeiriad. Roedd yn rhaid i ni faesu'n daclus i geisio'i gadw'n dawel ond fe drawodd e ddau 6 oddi ar fy mowlio cyn i mi ddwyn dial arno a Dale yn ei ddal ym mhellter-oedd eithaf y maes am 66.

Er i Russell Cake fatio'n gelfydd, doedd 'na fawr o obaith i ni ennill am i'w gydymaith, Garri Wyn Jones, benderfynu mai arbed ei wiced oedd bwysica, heb ofidio am geisio sgorio. Agwedd hollol negyddol na fyddai'n esiampl dda i grwt ifanc a allai fod wedi galw heibio ar ei ffordd adre o'r ysgol. Ar un adeg roedd Jones wedi bod wrthi am 41 pelawd yn sgorio 3 rhediad. Ydy, mae'n ddigon derbyniol i fatiwr amddiffyn ei wiced, ond rhaid iddo bob amser chwilio am gyfle i daro'r bêl at y ffin neu i orfodi'r maeswyr i redeg i bob cwr. Siom fawr oedd gweld Jones yn batio mor negyddol, yn arbennig am fod ei frawd, Robin Owen Jones, yn aelod o staff Morgannwg a bod 'na obaith mawr amdano gyda ni wedi iddo raddio o Brifysgol Durham.

Oherwydd agwedd negyddol Jones gorffennwyd y gêm yn ddiganlyniad hanner awr yn gynnar. Fe ges i'r pleser mawr o gipio'i wiced â phêl ola'r dydd. Wedi iddo lwyddo i gadw'r bêl ar y llawr trwy gydol y prynhawn, o'r diwedd daeth y bêl yn ôl yn sydyn oddi ar ei fat yn syth i'm dwylo. Tra oedden ni'n cerdded i'r pafiliwn roedd sawl un ohonon ni'n trafod y ffaith fod gwylio paent yn sychu'n fwy diddorol na gwylio Jones yn batio. A hyn yn ddigon uchel i wneud yn siŵr ei fod e'n gallu'n clywed ni.

Dydd Iau, 16eg o Fehefin
(Croft: 38 h.f.a.)

Roedd heddiw'n teimlo fel dechrau'r tymor go iawn. Mae'n beth rhyfedd i'w ddwedud yng nghanol mis Mehefin, ond mae'r tywydd yn wych y bore 'ma a phopeth yn berffaith ar gyfer chwarae criced. Mae wythnos gyfan yn rhydd o bwysau'r cynghreiriau wedi rhoi cyfle i'r bechgyn gael egwyl fach a digon o gyfle i ymarfer ar gyfer gweddill y tymor. I ychwanegu at wella naws y stafell newid mae Matthew Maynard yn ôl yn y tîm ar ôl y ddamwain i'w law. Andrew Roseberry yw'r un anffodus sy'n gorfod ildio'i le.

Yng Ngerddi Sophia clywsom fod Devon Malcolm, bowliwr cyflym Swydd Derby, wedi'i ryddhau o garfan Lloegr, oedd yn paratoi i chwarae yn y gêm Brawf yn Lord's. Bydd e 'ma rywbryd yn ystod y bore i achosi mwy o broblemau i ni. Bûm ar daith Tîm "A" Rhyngwladol i'r Caribî gyda Devon ym 1992 ac rwyf wedi cael y profiad enbyd o orfod ei wynebu droeon wrth ymarfer yn y rhwydi. Profiad annymunol a dweud y lleia.

Am unwaith fe alwodd Hugh yn gywir a dewis batio. Dechrau digon diflas wrth i ni golli 2 wiced a chyrraedd 26 yn unig. Yn ffodus fe fatiodd James yn dda i gyrraedd 58, ond y trobwynt oedd Maynard yn sgorio'i gant cynta yn y tymor cyn colli'i wiced am 118. Fe roddodd e gyfle neu ddau ar y ffordd ond ei ymdrech e achubodd y dydd i ni. Roedd e mewn rhywfaint o boen gyda'i law ac felly roedd ei ymdrech e'n haeddu mwy o glod oherwydd hynny. Ychwan-egodd Hemp 51 at ei dymor da ac ar ddiwedd y dydd roedd Cotts ar 41 a mi ar 38, y ddau ohonom yn barod i ailddechrau bore fory. Gan nad oedd neb yn disgwyl gweld y llain yn gwella rhaid i ni wneud ein gorau i ychwanegu at ein sgôr o 350 am 5.

Dydd Gwener, 17eg o Fehefin
(Croft: c.o.f. b Malcolm 36/28-9-58-0)

Chwalwyd fy ngobeithion i fel rhai Cotts y bore 'ma pan dwyllodd Devon Malcolm fi i gael fy nal coes-o-flaen-y-wiced ac fe fowliodd Jack Warner fy nghyd-bysgotwr heb i'r un ohonon ni ychwanegu at ein sgôr dros nos. Fe lwyddodd gweddill y tîm i wthio'n cyfanswm i 402 cyn i ni golli'n wiced ola.

Ar ddechrau'u batiad nhw cawsom ddechrau gwych a chipio 2 wiced yn 'o fuan. Gweddnewidiwyd y gêm wedyn gan chwaraewr tramor Derby a chapten India, Mohammed Azharuddin, wrth iddo sgorio 109 amyneddgar. Os oedd 'na bêl rydd yn gofyn am gael ei tharo at y ffin, roedd Aza'n barod i'w chosbi'n awchus. Er iddo greu'r holl gyffro, doedd yr ymwelwyr ddim ond wedi cyrraedd 292 am 6 wiced erbyn diwedd y chwarae ac rown i'n ffyddiog y bydden ni'n dechrau'n hail fatiad o leia hanner cant ar y blaen.

Dydd Sadwrn, 18ed o Fehefin
(Croft: 32-12-67-0/d Vaudray b Taylor 16)

Am yr ail fore'n olynol roedd rhaid i ni ddiodde siom wrth weld y cyfreithiwr sy'n chwarae criced yn ei amser hamdden, Tom O'Gorman, yn dal i'n rhwystro cyn i Adrian Dale ei fowlio am 128. Ei gydymaith yn y rhwystro oedd eu wicedwr, Karl Krikken, yr unig gricedwr â 4 llythyren "K" yn ei enw! Cyfanswm gore "Krikk" (fel mae pawb yn ei nabod) cyn heddiw oedd 77 h.f.a., ond fe gadwodd e'n bowlwyr ni'n brysur gan sgorio 85 h.f.a. Diflas iawn oedd gweld Derby'n cyrraedd 470 cyn colli'u wiced ola a'r unig gysur i ni oedd i Watkin gymryd 6 wiced am 143. Doedd 'na fawr i'w ddweud am fy nghyfraniad i – dim un wiced wrth ildio 67 o rediadau.

Pan ddaeth ein tro ni i fatio eto, doedd pethau ddim yn mynd i wella ac roedd ein sgôr terfynol o 175 am 7 wiced yn addo mwy o drafferthion ar fore dydd Llun. Rŷn ni ar y blaen o 107 yn unig a dim ond 3 wiced ar ôl. Heb gyfraniad Dale, sy'n dal yno ar 70, fe fyddài'r twll hyd yn oed yn ddyfnach. Siom fawr i'n selogion, yn gwylio ar ddiwrnod gwyntog, oer, oedd gweld James (18), Maynard (25), Hemp (28) a mi (16) yn setlo ac yn edrych yn barod i sefydlu partneriaeth hir gyda Dale cyn i'r pedwar ohonom golli'n wicedi. Ein hunig obaith am ddydd Llun yw y bydd Dale yn dal ati ac y bydd Metson, Watkin neu Bastien yn llwyddo i gadw cwmni iddo a rhoi cyfle iddo sgorio mwy – falle 70 arall?

Dydd Sul, 19eg o Fehefin
(Croft: 8-0-40-1/h.f.a. 10)

Gorfodi bechgyn Derby i deithio o Gaerdydd i Abertawe heddiw (a James i deithio o'i gartre yn Lydney, Swydd Gaerloyw, a Dale o Gas-gwent) a chyfle arall i ni gymryd cam at ailennill cystadleuaeth y Sul. Er i Azharuddin sgorio 81 h.f.a. (yn cynnwys dwy ergyd am 6) fe lwyddon ni i'w cyfyngu i sgôr o 203 am 5 a phob bowliwr yn cyfrannu. Egwyl te digon hapus a phawb yn ffyddiog fod y nod o 204 yn un y gallen ni'i gyrraedd yn weddol gyfforddus dim ond i bawb fatio cystal â'r llynedd.

Bowlio cyflym Malcolm yn gorfodi James i gyffwrdd y bêl i fenig Krikken am 18 personol pan oedd y cyfanswm yn 47. Denodd hyn Maynard i'r llain am ei fatiad cynta ar y Sul ers Mai'r 15fed. Hugh yno'n barod yn gosod y safon, fel y disgwylir gan gapten, ac roedd hi'n hyfryd gweld y ddau'n cyrraedd yr hanner cant o fewn munudau i'w gilydd. Erbyn hyn roedd yr awyrgylch yn wefreiddiol a phan ddaeth Watty a mi 'n ôl o'n hymweliad arferol â lloc y Wasg, gallech deimlo'r ysfa ymhlith ein cefnogwyr am fuddugoliaeth.

Bu'r frwydr rhwng y tri M yn un gyffrous ac er i Malcolm gipio wicedi Morris a Maynard yn y diwedd, cyrhaeddodd y capten 62 a Matt 65 tra sgoriwyd 41 oddi ar 8 pelawd Devon, 10 o rediadau i Dale ac 11 i Cottey a phan gyrhaeddais i'r llain roedd angen pymtheg arall arnom a dwy belawd a hanner yn unig ar ôl. O siarad â nifer o bobl oedd yno, mae'n amlwg nad fy nghalon i oedd yr unig un oedd yn llamu'n afreolaidd y prynhawn hwnnw. Ottis Gibson oedd fy nghydymaith ar ben pella'r llain ac roedd pawb yn ysu am ei weld yn taro'r bêl yn ei ffordd unigryw i sicrhau buddugoliaeth a'n rhyddhau ni i gyd o'r boen o orfod sefyll ar bigau drain.

Rywsut, fe lwyddon ni i gyrraedd 197 ag wyth pêl yn weddill. Saith rhediad i ennill a Simon Base, cyn-chwaraewr gyda Morgannwg, yn bowlio'n weddol gyflym o gyfeiriad Heol y Mwmbwls. Gallwn deimlo pawb yn ymbilio arna i i sgorio un fach er mwyn rhoi'r cyfle i Gibson daro 6 i'r môr i roi halen ym mriw Derby. Wedi wynebu cyflymdra aruthrol Curtley Ambrose bum wythnos yn ôl ac o gofio y byddai'n rhaid cwrdd â Courtney Walsh yn Swydd Gaerloyw cyn hir, doedd 'na ddim cymaint o nerfusrwydd wrth weld Base yn rhedeg ata i. Do, fe welais y bêl yn gadael ei law a gwyddwn ar unwaith wrth ei tharo y byddai'n mynd ymhell. Tipyn o sioc i'r dyrfa oedd ei gweld hi'n esgyn i'r cymylau, yn croesi Heol y Mwmbwls ac, yn ôl y sôn, yn glanio ar y traeth. Nid fy lle i oedd gwneud hyn! Roedd pawb yma i weld Ottis Gibson yn ennill y gêm! Ta waeth am hynny, roedd y sgôr yn gyfartal a saith pêl i fynd. Doedd dim ots gan neb mai fi sgoriodd yr un rhediad i ennill y gêm. Rhuthrodd criw o blant i'r maes wrth i Ottis a mi floeddio'n llawenydd i gyfeiliant cymeradwyaeth y dorf.

Cyrhaeddais y pafiliwn ar ôl llofnodi rhyw ddwsin o raglenni ar y grisiau hir i fyny i'r pafiliwn. Gorfoleddus yw'r unig air addas i ddisgrifio'n stafell newid ac ar ôl diodde'r cofleidio a'r cyd-longyfarch roedd hi'n amlwg bod 'na griw o selogion y tu allan i'n horiel am ddatgan eu llawenydd. Rhyfeddol, felly,

Matthew Maynard gyda'r tri a fu'n llwyddiannus yng nghystadleuaeth Adran Ieuenctid Tîm Morgannwg, y Short Legs.
Buddugol
1af (ar y dde): Andrew Tucker; 2ail a 3ydd: Greg Merriman a John Weavers. Llun: James McQuarrie

O'r chwith: Tim Curtis (Capten Caerwrangon), David Leatherdale, Steve Rhodes (Wicedwr Caerwrangon), Aelod o Staff Banc y National Westminster, Stephen James, Richard Weston (Banc y National Westminster), Tom Moody, Matthew Maynard, David Hemp, Graeme Hick, Anthony Cottey, Steve Watkin.
Rhes flaen: Robert Croft yn gwobrwyo Andrew Tucker, Greg Merriman a John Weavers, enillwyr y gystadleuaeth i fathu enw newydd ar aelodau ifanc y clwb: 'Short Legs'. Llun: James McQuarrie

oedd mynd allan i'r oriel i gyfnewid gair gyda nifer o ffrindiau ac edrych i lawr ar y maes. Dyna lle'r oedd nifer o blant (o bob oedran) wedi ymgynnull o gwmpas y dyfarnwr criced enwoca ohonyn nhw i gyd, Harold "Dickie" Bird! Ar ddiwedd gêm mor gyffrous, roedd yn well gan y gwybodusion gael llofnod y dyfarnwr nag unrhyw chwaraewr dibwys. Ydy, mae criced yn gêm ryfedd!

Dydd Llun, 20fed o Fehefin
(Croft: 8-1-40-1)

Diwrnod arall i'w anghofio. Ar ôl yr holl gyffro a'r wefr ddoe doedd dim mwynhad i fechgyn Morgannwg heddiw. Ychwanegodd Adrian Dale bump at ei 70 ac o fewn 40 munud roedden ni'n paratoi i faesu ac i amddiffyn nod o 129. Er i Metson ddal Matthew Vandrau ('na enw sy'n swnio'n bell i ffwrdd i Gymry Cymraeg!) oddi ar fowlio Ottis pan oedd y sgôr yn 20, fe wnaeth Kim Barnett, y capten, a Chris Adams eu gore glas i orffen y gêm cyn amser cinio. Fe gawson ni ail lwyddiant wrth i mi ddenu Adams mas o'i dir a rhoi cyfle i Metson lorio'i goed. Rhy hwyr o lawer gan fod Adams wedi sgorio 58 wrth i'w sgôr nhw gyrraedd 121. Fe fethon nhw ennill cyn cinio ac roedd hi'n eitha diflas o gwmpas ein byrddau ni wrth inni fwyta. Ugain pêl ar ôl cinio ac roedd bechgyn Derby'n dathlu llwyddiant cynta'r tymor a ninnau ar waelod y tabl, wyth pwynt y tu ôl i bawb arall. Does neb ohonom yn mwynhau bod yn y sefyllfa hon, yn arbennig wedi tymor mor dda y llynedd. Rhaid i ni ddal ati a sgorio mwy ac ymosod a maesu ag ysbryd 1993.

Dydd Mawrth, 21ain o Fehefin

Diwrnod arall o law yn Abertawe yn golchi'n gobeithion i chwarae'n gêm yn erbyn Swydd Lincoln yn rownd gynta Tlws NatWest. Yr un hen ddiflastod ag arfer ar ddiwrnod mor wlyb. O leia does dim rhaid mynd yn ôl i ryw westy amhersonol heno. Caf fynd adre i de gyda'r teulu a Marie. Pawb yn gobeithio y bydd y tywydd yn well fory rhag ofn i ni orfod chwarae rhyw gêm ddwl dan do yng Nghastell-nedd neu rywle. Y trafferth mawr yw'r daith hir i Fae Colwyn nos fory ar gyfer y gêm yn erbyn Swydd Gaerhirfryn yn dechrau am un ar ddeg o'r gloch fore dydd Iau. Byddai colli hanner yr amser chwarae heddiw'n iawn, ond mae colli'r diwrnod cyfan yn mynd i greu diflastod os bydd y chwarae'n parhau tan 6 neu'n hwyrach fory.

Dydd Mercher, 22ain o Fehefin
(Croft 2 h.f.a./12-4-30-3)

Diwrnod hollol wahanol i ddoe, a haul Bae Abertawe'n herio haul Bae Colwyn ar gyfer fory. Ces fore tawel yn y pafiliwn yn edmygu James a Dale yn arddangos eu batio celfydd. Ar ôl i H golli'i wiced yn gynnar am 4 pan oedd y sgôr yn 29 gosodwyd seiliau cadarn ar gyfer gweddill y dydd. Chwalwyd record Morgannwg am yr ail wiced mewn gêm 60 pelawd ac fe gyrhaeddodd Jamo (123) ac Arthur (110) eu cannoedd yn yr un belawd. Record bersonol i'r ddau ohonyn nhw a Matt yn mynd yn wyllt a sgorio chwe 4 a phum 6 yn ei gyfanswm o 75 oddi ar 31 pêl yn unig! Wrth gyrraedd 344 am 5 roedden ni o fewn un rhediad o record y clwb yn y gystadleuaeth hon, yn erbyn Durham dair blynedd yn ôl.

Doedd gan Swydd Lincoln ddim gobaith ailadrodd eu llwyddiant yn erbyn Morgannwg ugain mlynedd yn ôl ac fe gipiodd Watkin a Gibson wiced yr un mewn dwy belawd pan oedd eu sgôr yn 29. Dyw'r tymor hwn ddim wedi bod yn un da i mi hyd yn hyn ond heddiw fe ruthrais trwy'r deuddeg pelawd i orffen â'm ffigurau gorau yn y gystadleuaeth – diwrnod o recordiau i fechgyn Morgannwg. Buddugoliaeth haeddiannol o 160 rhediad i ni wrth i'w batwyr ola gymryd eu hamser a chyrraedd 184 am 9 wiced.

Nawr am y daith 'ma trwy ganolbarth Cymru! Mae'n noson heulog, braf ond byddai'n well gan bob un ohonon ni fod yn cerdded ar y traeth ym Mae Colwyn na gorfod teithio mor hwyr. Wedi i Cotts a mi gyrraedd y gwesty, dŷn ni ddim am aros yn y lolfa am sgwrs ond yn mynd yn syth i'r gwely i gysgu. Diwrnod blinedig iawn drosodd o'r diwedd!

Dydd Iau, 23ain o Fehefin
(Croft: 19-4-87-1)

Do, fe gyrhaeddodd pawb yn ddiogel neithiwr a phob un â'i stori am y daith. Steve James yw gyrrwr cyflyma a mwya mentrus y tîm, gan amla'n cyrraedd o flaen pawb arall. Fe gafodd ei ryfeddu neithiwr, fodd bynnag, gan iddo basio car ein sgoriwr, Byron Denning, sawl gwaith heb sylwi ar Byron yn ei basio ef o gwbl! Esboniad Byron a'i wraig oedd eu bod wedi hen gyfarwyddo â chanolbarth Cymru a'u bod wedi defnyddio'r ffordd fyrra tra oedd Jamo'n gwastraffu'i betrol a'i nerfau ar y priffyrdd.

Pawb o'n bechgyn ni'n anystwyth y bore 'ma, felly bydd pêl gynta Watty'n ddiddorol iawn! Y cynhesu cyhyrau'n fwy pwysig nag arfer heddiw, yn arbennig ar ôl i ni gael ein gorfodi i fowlio a maesu'n gynta. Dim llawer o awydd gwneud hynny ar neb ond mae Alan Jones, fel pob hyfforddwr creulon, yn gwneud yn siŵr fod pawb yn gweithio'n dda.

Watkin yn dadansoddi'r llain fel un araf ac un fydd yn rhoi tipyn o gymorth i'r bowlwyr ar y dechrau. Ar ddiwrnod heulog arall ar arfordir Gogledd Cymru, gobaith Steve yw y caiff e ddod yn ôl i orffwys yn y pafiliwn cyn hir! Diwrnod pwysig i bawb sy'n gobeithio chwarae yn y tîm rhyngwladol am fod Mike Atherton, capten y tîm hwnnw yn chwarae dros Swydd Gaerhirfryn. Pawb yn bihafio ac am wneud eu gore glas i greu argraff ffafriol.

Cychwyn arbennig o dda wrth i Watty gipio wiced â thrydedd pêl y dydd cyn i'r ymwelwyr sgorio. A'u sgôr nhw'n 65 am 5, 'oedd hi'n edrych yn obeithiol y byddai 'nhraed i fyny cyn tri o'r gloch y prynhawn. Dyna pryd y camodd Mike Watkinson, capten Caerhirfryn, at y llain yn llawn hyder ar ôl sgorio 117 a chipio 11 wiced yn erbyn Swydd Hampshire y penwythnos diwetha. Cyn cinio roedd Watty, Lefebvre a fi wedi rhannu'r wicedi ac yna, gyda phêl gynta'r prynhawn, ymunodd Gibson yn yr hwyl trwy gipio wiced John Crawley, gŵr fu'n llwyddiannus iawn gyda'r Tîm "A" yn Ne Affrica dros y gaea. 96 am 6! Prynhawn byr o waith ac yna i mewn i'r pafiliwn am weddill y dydd?

Yn anffodus, roedd Watkinson yn awyddus i'n cadw mas ar y cae, a, gyda help Peter Martin, fe symudodd eu cyfanswm ymlaen at 220 cyn i Gibson fowlio Martin am 37. Yn allweddol, fe fethodd Colin Metson â dal un cyfle gan Watkinson oddi ar fowlio Gibson pan oedd y batiwr ar 86. Cae cymharol fach sydd yma yn Llandrillo-yn-Rhos ac fe fanteisiodd Watkinson ar hynny wrth fatio'n gelfydd iawn. Fi oedd y person i gael ei gosbi fwya heddiw a Watkinson yn cael chwe 6 oddi ar fy mowlio. Petai'r cae'n fwy, falle y bydde un neu ddwy wiced arall wedi dod i'm rhan.

Ar derfyn diwrnod a allasai fod yn llawer gwell i ni, roedd eu cyfanswm o 319 am 9 yn siom fawr, ond serch hynny fe aeth criw ohonon ni allan am dro a phryd o fwyd ac i fwynhau'r croeso arferol yma yn y Gogledd. Pawb i'r gwely'n gynnar, fodd bynnag, ar ôl deuddydd blinedig.

Dydd Gwener, 24ain o Fehefin
(Croft d.a.b. Austin 25)

Mwy o drafferth y bore 'ma wrth i bâr ola Caerhirfryn sgorio deugain arall a chyfanswm o 359 iddyn nhw. Tywydd gwych tra oedden nhw'n batio ddoe ond mae'n edrych yn gymylog wrth i ni gychwyn ar y cwrso. Mwy o help nawr i'r bowlwyr cyflym sy'n gwyro'r bêl ac yn defnyddio gwnïad y bêl.

Fel mae'r diwrnod wedi datblygu, mae'n gofid am y bowlwyr cyflym wedi'i wireddu. Cipiodd bowliwr cyflym yr ymwelwyr, Chapple, y pum wiced gynta i ddangos ei sgiliau amryddawn i'r garfan o'u cefnogwyr sydd draw 'ma o Fanceinion, Glannau Merswy a'r trefi eraill gerllaw. Trwy gydol y dydd roedd 'na lanw a thrai i'n gobeithion wrth i ni geisio osgoi gorfod batio am yr eildro'n olynol yn y gêm. Doedd y nod o 210 i osgoi hynny ddim yn broblem ar yr wyneb, ond fe gollson ni wicedi'n gyson (gan gynnwys Maynard heb sgorio) ac ar 123 am 6 roedd pethe'n dywyll iawn arnon ni. Roedd cyfraniad y capten (52) a David Hemp (56) yn allweddol, ond fe ddylwn i fod wedi dal ati ar ôl cyrraedd 25. Fory, mae'n bwysig fod Metson a Watkin yn llwyddo gyda'i gilydd gan nad oedden ni ond wedi cyrraedd 180 am 7 erbyn diwedd y chwarae heno.

Dydd Sadwrn, 25ain o Fehefin
(Croft: 9-1-43-1)

Do, fe lwyddon ni i sgorio 238, diolch i Lefebvre (33) a Metson (36) ond cael a chael oedd hi am gyfnod. Pan fatiodd bechgyn Caerhirfryn eto, araf iawn oedd hi. Rhyfeddod mawr y prynhawn oedd gweld eu capten, Neil Fairbrother, sy'n enwog am daro'r bêl yn galed i bob cwr, yn methu sgorio oddi ar fowlio Barwick am gyfnod hir. Mae'n ôl yn chwarae ar ôl anaf ac yn gweld ymarfer yn bwysicach na sgorio'n gyflym. Yn ffodus, fe gipion ni wiced Atherton yn ddigon rhad am ugain, ond fe lwyddodd John Crawley i gyrraedd 83 cyn i Roland ei gael coes-o-flaen-wiced wrth i'r glaw ddod i'n hachub rhag mwy o gosb.

Gan eu bod nhw 316 o rediadau ar y blaen, yr hyn sy'n debygol o ddigwydd bore dydd Llun yw y byddan nhw'n clatsio'n gyflym i osod nod o ryw 360, yn y gobaith y bydd y llain o gymorth i droellwr fel Gary Yates. Bydd hi'n anodd iawn arnon ni, ond mae bechgyn fel Maynard yn gallu dofi unrhyw fowliwr ar ei ddiwrnod ac mae'n bryd i ni i gyd lwyddo ar yr un diwrnod. Pwy a ŵyr? Falle taw dydd Llun fydd ein diwrnod ni.

Dydd Sul, 26ain o Fehefin
(Croft: heb fatio/8-0-30-1)

Mae dydd Sul ym Mae Colwyn yn achlysur arbennig iawn a'r dyrfa fawr heddiw fel arfer yn mwynhau rhywfaint o haul ond y peth pwysig yw ei bod hi'n sych. A Chaerhirfryn mor agos, mae 'na griw mawr o'u cefnogwyr nhw 'ma'n gobeithio'n gweld ni'n colli. O edrych o gwmpas y cae, mae'n anodd penderfynu pwy sy'n ennill cystadleuaeth nifer y cefnogwyr. Mae'n amlwg bod y llwyddiant ariannol o ymweld â Bae Colwyn a'r ardal yn mynd i ddenu'r clwb i chwarae yma am flynyddoedd i ddod. Yn sicr heddiw mae'r croeso'n gwneud y daith 'na o bum awr o Abertawe nos Fercher yn werth chweil.

Gobeithio nawr y bydd y gefnogaeth yn ein hybu i wella'n perfformiad. Yn anffodus, dechrau gwael wrth weld y capten yn colli'r dewis a Fairbrother yn gofyn i ni fatio gynta. Ynghyd â'n gofid am hyder Chapple, mae Wasim Akram o Bacistan wedi'i ychwanegu at eu tîm ar gyfer heddiw. Bowliwr rhyngwladol cyflym o safon rhyngwladol sy hefyd yn gallu dofi unrhyw fowliwr gyda'i fat ar ei ddiwrnod. Cyn i Hugh a Steve James gerdded at y llain, ein gobaith oedd cyrraedd tua 220 i osod nod y gallem ei amddiffyn yn hyderus.

Fel yn ein gêm ddiganlyniad yn erbyn Surrey ddechrau'r mis, ein capten oedd asgwrn cefn ein batiad, yn sgorio 99 h.f.a. Roedd 'na gymysgedd o siom a llawenydd ar ei wyneb yn derbyn y gymeradwyaeth ar ei ffordd yn ôl i'r pafiliwn. Siom o fethu â sgorio cant arall a llawenydd o wybod ei fod wedi cyflawni campwaith arall i'w dîm. Bowliodd Akram yn gyflym iawn a tharo Cottey a Maynard yn galed ar eu dwylo. O gofio am hynny a maesu gwych Fairbrother a'i griw, roedd ein cyfanswm o 198 am 4 yn ddigon boddhaol.

Fe gawson ni gychwyn perffaith wrth i Watkin a Lefebvre gipio wiced yr un yn ystod y pum pelawd gynta. Pan ddilynodd Fairbrother o fewn tair pelawd arall, roedd eu sgôr o 14-3 yn argoeli'n arbennig o dda i ni. Crawley a Watkinson wedyn yn llwyddo i ychwanegu 59 cyn i Gibson ddal Watkinson oddi ar fy mowlio i. A 'na pryd y gweddnewidiwyd y gêm yn llwyr gan i Barwick a Lefebvre gyfuno i gipio 3 wiced yn y modd mwya cyffrous posib. Penderfynodd Crawley, Akram a Martin mai'r peth gore i'w wneud oedd taro'r bêl yn galed ac yn uchel ar faes cymharol fach Llandrillo-yn-Rhos. Do, fe lwyddodd Crawley ddwywaith ond yna fe ddygodd Barwick ddial arno gyda chymorth ysblennydd y gŵr o'r Iseldiroedd.

Deirgwaith, ym mhellteroedd y maes, rhedodd Roland nerth ei draed o gwmpas y ffin a thaflu'i hun i ddal y bêl yn y modd mwya cyffrous. I bawb oedd yno roedd ei berfformiad yn fythgofiadwy ond, yn anffodus, dim ond y ddwy gynta a welwyd ar y teledu. Chwythodd un o beiriannau'r BBC i fyny a methwyd â pharhau i ddarlledu. Pan glywson ni am hynny, roedd pawb yn cytuno mai gwaith unigryw "Dutchy" oedd wedi achosi'r broblem! Er i Steve Barwick orffen â phedair wiced am 38 ac er cofio am fatio gwych y capten, rhaid cyfadde mai dydd Lefebvre oedd hwn wrth iddo orffen y bowlio â chrynodeb o 8-1-15-2 i fynd gyda'i faesu anhygoel. Gallwch ddychmygu'r canu yn ein stafell newid ni ar y diwedd! Yn sicr, mae ysbryd 1993 yn dal yn fyw ar y Sul dim ond i ni gydweithio a chyfrannu fel heddiw bob tro o hyn ymlaen.

Dydd Llun, 27ain o Fehefin 1994
(Croft: b Watkinson 0)

Penderfynodd Watkinson adael i'w dîm fatio'n hwyrach nag rown i wedi'i ddisgwyl y bore 'ma. Gosodwyd nod o 386 i ni ennill a 'nghred i oedd eu bod wedi batio'n rhy hir ac nad oedd ganddyn nhw obaith i'n bowlio ni mas yn yr amser oedd yn weddill. Penderfynwyd anelu at y targed ac ar ôl colli James yn rhad aeth y capten a Dale ati'n awchus am gyfnod i symud ymlaen at 89 cyn colli ail wiced. O hynny ymlaen cipiodd eu troellwyr, Watkinson a Yates, wicedi'n gyson a'n cael ni i gyd allan am gyfanswm o 165. Doedd colli o 220 ddim yn rhywbeth pleserus ar ôl dod i fyny yma'n llawn gobaith. Ein trafferth mwya oedd ein methiant i grynhoi digon o rediadau yn y ddau fatiad. Mae'r sylfeini'n cael eu gosod gan sawl unigolyn, ond ein methiant i adeiladu ar hyn yw'r broblem fawr. Dw i ddim eisiau anwybyddu bowlio da, ond mae angen mwy o rediadau ar y bwrdd er mwyn i ni gael gwell cyfle i amddiffyn.

Mae'n stafell newid yn llawn diflastod heddiw, yn arbennig ar ôl llwyddiant ddoe. Fe ddaethon ni i fyny yma'n llawn gobaith, ond mae saith gêm wedi'u chwarae yn y bencampwriaeth nawr ac rŷn ni'n un o bedwar tîm heb ennill un gêm. Heb ddigon o bwyntiau bonws, ni sydd ar waelod y tabl, ac yn teimlo'n hollol wahanol i'r amser yma y llynedd. Y siom fwya i nifer o'n batwyr yw eu bod yn colli'u wicedi wrth geisio ymosod. Does dim llawer ohonon ni'n cael ein dal yn agos at y llain ac efalle'i bod hi'n bryd i ni feddwl am amddiffyn cyn ymosod. Yn sicr, roedd tactegau

Watkinson yn effeithiol iawn yn y gêm hon a does dim dwywaith nad oedd ei berfformiad personol e'n allweddol ac yn dangos y ffordd i weddill ei dîm.

Dydd Mercher, 29ain o Fehefin

Sesiwn o ymarfer yn rhwydi Gerddi Sophia y bore 'ma cyn mynd i chwarae gêm fudd i Hugh yn Brockhampton ar y ffordd i Fryste ar gyfer ein penwythnos yn erbyn Swydd Gaerloyw. Ynghyd ag ymarfer y bore 'ma, cyfle i gymharu antur y daith adre o Fae Colwyn nos Lun.

"Wacky Races" oedd enw rhywun am y daith yn ôl i'r De, ond rhieni Steve Watkin gafodd yr antur fwya a hynny yng nghwmni'u mab. Yn agos at Lyn-nedd fe rwygwyd un o'r teiars, ond doedd dim golwg o'r jac i godi'r car i fyny. Aeth Steve i ffonio am gymorth gan adael ei rieni gyda'r cŵn yn y car. Roedd y ffôn agosa'n digwydd bod mewn tafarn lle'r oedd un o gêmau þêl-droed Cwpan y Byd yn cael ei dangos ar y teledu! Arhosodd Steve yno i wylio'r gêm wrth aros i'r AA gyrraedd a'i rieni'n dal i fod wrth y car. Mae'i rieni yn bobl amyneddgar iawn, ond roedd hyn yn annheg! Fe gyrhaeddon nhw adre tuag un o'r gloch y bore.

Dydd Iau, 30ain o Fehefin

Dw i ddim wedi chwarae yma ym Mryste i'r tîm cynta o'r blaen ac o edrych ar y llain, fy mhrif argraff yw na fydd y gêm hon yn un ddiganlyniad. Ychydig bach o borfa las, ond yn sych iawn. Siwrne fydd yr haul a'r traed wedi treulio'r ychydig lesni i ffwrdd, dyma lain fydd yn rhoi tipyn o help i droellwyr. Hugh yn cael dewis a batio'n gynta yw hi. Mae'n bwysig ein bod yn crynhoi cyfanswm sylweddol cyn i bethe waethygu yn y gobaith y gallwn fanteisio'n llawn ar gyflwr y llain hon. Courtney Walsh, capten Caerloyw a chwaraewr blaenllaw yn nhîm India'r Gorllewin, yn bowlio'n aruthrol o gyflym ac yn peri ofn ar bawb, hyd yn oed y dyrfa sy'n gwylio. Mae'n anodd sgorio'n ei erbyn hefyd ond, yn ffodus i ni, does 'da nhw neb mor gryf ar y pen arall i gefnogi Walsh.

Ar ôl 14 pelawd yn unig, roedd y sgôr o 71 am 3 wiced yn un rhyfeddol, a dweud y lleia. Mae hyn yn golygu fod Maynard a Hemp yn batio gyda'i gilydd a chanddyn nhw gyfle i ddangos eu doniau ymosodol. Hemp sy'n gwneud y gore o bethe ac yn cyrraedd 136, ei gyfanswm gore erioed. Maynard yn ei helpu a sgorio 69 sy'n ei galonogi ar ôl ei siom yn y Gogledd. Er na wnes i gyfrannu llawer, roedd ein cyfanswm o 302 yn ddigon boddhaol a'r cyfan sydd ei angen nawr yw i ni, fowlwyr, fanteisio ar bethe o hyn ymlaen. Fe gawson ni hanner awr o fowlio heno ac fe gawson nhw 30 heb golli wiced yn ddidrafferth. Ond y gobaith yw mai hyn fydd y diwedd ar y fantais y mae'r llain yn ei rhoi i fatwyr.

Bob tro y bydd Morgannwg yn aros ym Mryste,

Gwesty'r Grand yw'n canolfan a swper yn *Pizzaland* yw hi o leia unwaith. £14 y noson yw'n tâl am swper, ble bynnag rŷn ni'n aros, ac mae swper heno'n noson wych a phawb yn mwynhau'u hunain. Pryd enfawr o *pizza*, bara garlleg, gwydraid neu ddau o gwrw ac yna noson dda o gwsg i baratoi ar gyfer fory.

Dydd Gwener, 1af o Orffennaf
(Croft: 14-4-38-2/8-0-35-0)

Mae'r ystadegau uchod yn cyfleu rhyw damed bach o'r stori am heddiw gan i ni orfodi Caerloyw i fatio ddwywaith. Arwr y dydd heb os oedd Steven Barwick â 20-11-28-4 yn y batiad cynta ac yna 25-13-38-4 yn hwyrach yn y dydd! Pum pelawd a deugain yw'r mwya mae e wedi'u bowlio mewn un diwrnod a mae e wedi blino'n lân. Am unwaith, fe yw'r cynta i'r gwely heno. Fel arfer, mae e'n barod i sgwrsio am oriau am griced a thechneg bowlio, yn arbennig gyda bechgyn ifanca'r tîm. Pan oedd e'n dechre ar ei yrfa, fe ddysgodd e lawer gan bobol fel Garth LeRoux, Imran Khan a Geoff Arnold. Mae Barwick yn gredwr mawr mewn pasio'i wybodaeth ymlaen i'r genhedlaeth nesa ac mae'n barod i siarad am griced hyd oriau mân y bore. Erbyn deg o'r gloch heno, fodd bynnag, mae e'n cysgu ar ei draed!

Diwrnod cyffrous i bawb arall hefyd a Mark Alleyne a Martyn Ball (a gipiodd 5 wiced am 69 ddoe) yn batio'n dda a bron achub eu tîm rhag y sarhad o gael eu gorfodi i fatio ddwywaith mewn un diwrnod. Pan oedd eu sgôr yn 141 am 7 doedd dim ond angen 12 arnyn nhw i'n gorfodi ni i fatio nesa. Fe lwyddon ni i ffarwelio ag Alleyne a Ball o fewn dwy belawd ac roedd eu cyfanswm o 149 bedwar rhediad yn fyr o'r nod. Yn eu hail fatiad, fe sgubodd Lefebvre, Gibson a Watkin eu batwyr cynnar o'r ffordd gan adael y ffordd yn glir i Barwick glirio i fyny ar eu hôl. Bu bron i ni ennill heno yn ystod yr hanner awr ychwanegol, ond mae Jack Russell, cyn-wicedwr y tîm rhyngwladol, yn dal yno ar 72. Rhaid aros yn y gwesty ym Mryste heno eto yn lle mynd adre am ddiwrnod rhydd fory.

Dydd Sadwrn, 2il o Orffennaf

Diwrnod gwych heddiw. Y tro cynta eleni i ni allu dathlu buddugoliaeth yn y bencampwriaeth. Ar ôl y trafferthion neithiwr a Russell a Pike yn ein rhwystro ar ôl iddyn nhw golli'u nawfed wiced ar 130, fe ychwanegon nhw 25 arall y bore 'ma i osod targed o 39 i ni i ennill y dydd. Er i H golli'i wiced i Walsh am 5 chafodd James a Hemp fawr ddim problem wrth sgorio'r gweddill i roi prynhawn rhydd i bawb.

'Sdim rhaid aros ym Mryste heno (diolch byth nad ŷn ni yn Durham neu rywle tebyg!) a chyfle am ddwyawr o bysgota cyn mynd allan am bryd gyda Marie ar nos Sadwrn am unwaith.

Achos arbennig i Steve Watkin ddathlu heddiw, gyda llaw, wrth iddo gipio'i 500fed wiced dosbarth cyntaf. 'Ma'r ail garreg filltir iddo'i chyrraedd o fewn pythefnos gan iddo gyrraedd 1,000 o rediadau dosbarth cynta ryw bythefnos yn ôl. Roedd prif gipiwr wicedi Morgannwg, Don Shepherd (2,218), yma'n gwylio ac mae'n hyfryd gweld Watty'n ymuno â Johnny Clay (1,317) a'r gweddill sydd wedi cyflawni'r un gamp, sef Wilf Wooller, Allan Watkins, Jim McConnon, Len Muncer, Rodney Ontong, Peter Walker, Tony Cordle, Malcolm Nash, Emrys Davies, Jack Mercer, Frank Ryan ac Ossie Wheatley. Gobeithio y bydd f'enw inne'n cael ei ychwanegu at y rhestr yna ryw ddydd.

Dydd Sul, 3ydd o Orffennaf
(Croft: 8-0-49-1/d Russell b Smith 6)

Digon o gefnogaeth o Gymru ar gyfer gêm undydd heddiw a nifer go dda wedi croesi Pont Hafren am y dydd. Cychwyn gwych i ni a'r cydweithio rhwng Watkin a Metson yn gwasgu sgôr Caerloyw i 9 am 2 wiced yn y drydedd belawd. Alleyne (49) a Hancock (43) a achosodd y problemau mwya i ni er i Walsh ychwanegu 30 ar ddiwedd eu batiad. Cyfanswm o 184 am 9 yn un digon parchus yng ngolwg pawb yn ystod yr egwyl a'r peth pwysig yw i ni beidio â cholli wicedi'n gynnar.

Hugh Morris (52) yn gosod y safon fel gwir gapten a Steve James (50) yn dangos i bawb sut i fatio ar lain ddigon anodd. Pan oedd ein sgôr yn 99 heb golli'r un wiced yn y 24ain pelawd, doedd gan neb yn ein stafell ddim amheuaeth mai ni fyddai'n cario'r dydd. Yna colli pedair wiced wrth gyrraedd 119 a phethe'n waeth am fod Mark Davies, cyn-droellwr gyda Morgannwg sy'n enedigol o Gastell-nedd, yn cipio 2 o'r wicedi. Yn ffodus i ni, chwaraeodd Hemp yn synhwyrol tan i gamddealltwriaeth rhyngddo a Gibson achosi ei redeg mas. Er na sgoriais i lawer, rown i yno gydag Ottis tan i ni ddod o fewn 10 rhediad i'r nod. Ar un adeg, pan oedd 10 pelawd yn weddill, roedd angen 66 a phethe'n ddigon tywyll ar ein gobeithion. Doedd pethe fawr iawn gwell ar ddechre'r belawd ola i'w bowlio gan Walsh, un o fowlwyr cyflyma a gore'r byd. Am yr eildro ers iddo gyrraedd Cymru doedd gan Ottis ddim parch at enw mawr un o'i gymdeithion o'r Caribî. Pan oedd angen 4 oddi ar y belen ola fe drawodd Gibson hi dros y ffin i ennill y gêm.

Dydd Llun, 4ydd o Orffennaf

Diwrnod bonws rhydd ar ôl ennill ddydd Sadwrn. Codi o'm gwely gartre y bore 'ma yn lle mewn rhyw westy amhersonol. Brecwast hamddenol a chyfle i ddarllen adroddiad ffafriol yn y *Western Mail*. Prynhawn o bysgota tawel gyda Cotts, swper gyda Marie i drafod peth o drefniade'r briodas ym mis Medi. Diwrnod o baratoi yn y rhwydi fory ar gyfer y gêm yn Nhlws NatWest drennydd.

Dydd Mercher, 6ed o Orffennaf

Diwrnod o gawodydd heddiw a thorf fawr yn cael ei gwlychu drosodd a thro tan amser te. Hugh yn galw'n gywir ac yn rhyfeddu pawb y tu allan i'n stafell newid ni trwy benderfynu batio'n gynta. Ein cred ni yw ein bod yn well tîm yn amddiffyn cyfanswm na phan orfodir ni i gwrso nod. Rhyfeddod cynta'r dydd, yn arbennig i bawb oedd yn teithio yng nghwmni'r tywydd o Orllewin Cymru, oedd i ni ddechre chwarae'n brydlon am hanner awr wedi deg. Daeth y gawod nesa ar ôl tair pelawd a hanner a dyna ddiwedd ar y chwarae tan amser te.

Gan fod hon yn gêm ail rownd y gystadleuaeth mae 'na lawer o gefnogwyr, yn cynnwys 'Nhad, wedi cymryd diwrnod o wyliau i fod yma. Yn ystod yr ysbeidiau sych mae 'ma ddigon o bobol yma sy'n barod am sgwrs, ond mae pawb yn ysu am gael gweld rhywfaint o griced yn lle gorfod cymdeithasu o gofio y bydd llawer yn ôl yn eu gwaith fory.

Pan ballodd y glaw amser te fe sychodd y llain yn ddigon i ganiatáu chwarae am chwarter i chwech. Erbyn i'r haul ddiflannu tu ôl i gymylau du am ddeng munud i wyth roedd ein cyfanswm o 162 am 3 wiced yn ddigon boddhaol. Mae Maynard ar 46 a Cottey ar 37 a'r ddau'n edrych ymlaen at adeiladu batiad sylweddol yn y bore. Mae ganddon ni 23.2 pelawd yn weddill a phawb yn hyderus y gallwn osod nod digon anodd i fois Essex.

Ar y ffordd adre ar y draffordd, yn agos at Wasanaethau'r Sarn ger Pen-y-bont, fe chwythodd un o deiars y car a bu raid i Marie a fi newid olwyn wrth ymyl y ffordd. Cyrraedd yr Hendy am 10.15 y nos a gorfod meddwl am y daith yn ôl i Erddi Sophia'n gynnar yn y bore am ein bod i ailddechre am hanner awr wedi deg eto.

Dydd Iau, 7fed o Orffennaf
(Croft d Shahid b Kasprowicz 51([record personol] 12-0-54-1)

Diwrnod braf a heulog yng Nghaerdydd a dim llawer o gyfle i barhau â'r sgwrsio gyda'm hen ffrindie o'r daith i Dde Affrica, Peter Such a Mark Ilott, wrth i'r gêm ailgychwyn yn brydlon. Digon o gyfle i ni ddathlu, fodd bynnag, wrth inni ennill yn ddigon cyfforddus erbyn canol y prynhawn.

Maynard a Cottey'n dechre'n ddigon cyflym a symud y cyfanswm ymlaen a'r ddau'n ddigon hapus â'u cyfraniad personol. Fe roddodd hyn gyfle gwych i Ottis Gibson a mi chwifio'n batiau'n nerthol gan roi nod digon anodd i fechgyn Essex a gwyddai pawb mai Graham Gooch, cyn-gapten y tîm rhyngwladol, yw sail gadarn eu batio nhw. Roland Lefebvre, y gŵr o'r Iseldiroedd, sy'n torri'r sail heddiw ac yn rhoi cyfle i ni ffarwelio â Gooch yn ddigon cynnar. Wedi hynny, doedd dim amheuaeth am y canlyniad. Cipiodd Lefebvre 3 wiced, Watkin a minne un yr un ac yna Gibson dair i ennill y clod a'r mawl a'r bri fel chwaraewr gore'r gêm.

Er i ni fwynhau ennill, dyw chwarae gêm undydd mewn dwy ran byth yn foddhaol a doedd yr awyrgylch

Robert Croft ac Ottis Gibson. Llun: Huw John

Robert Croft yn bowlio yn erbyn Essex yng Nghaerdydd.
Llun: Huw John

ddim cystal â ddoe. Beth bynnag am hynny, rŷn ni i chwarae Surrey yn Abertawe yn y rownd nesa ar ddiwedd y mis a bydd hyn yn rhoi cyfle gwych i ni dalu'r pwyth yn ôl am iddyn nhw'n curo ni yng nghwpan B&H.

Dydd Gwener 8fed i ddydd Llun 11eg o Orffennaf

Penwythnos diflas i gricedwyr proffesiynol ym mhobman heblaw'r rhai sy'n chwarae yn Lord's yn rownd derfynol B&H. Pethe hyd yn oed yn waeth i Surrey a Morgannwg gan ein bod yn chwarae'n gêmau Cynghrair AXA Equity & Law ar ddydd Mawrth oherwydd bod ein gwrthwynebwyr (Caerwrangon a Swydd Warwick) yn wynebu'i gilydd yn Lord's ddydd Sadwrn.

Cyfle i mi a Cotts wneud ychydig o bysgota er bod Mam yn cwyno bod y rhewgell yn rhy lawn o frithyllod erbyn hyn. Y trafferth yw nad wy'n rhy hoff o fwyta brithyllod fy hunan! Mae 'Nhad yn dueddol o fwyta un yr wythnos i swper trwy'r haf. Weithiau bydd Mam a Mam-gu Bale yn rhannu un a bydd un neu ddau aelod arall o'r teulu'n cymryd un o bryd i'w gilydd. Er bod Cotts yn dal i fwynhau lwc wrth bysgota, dyw hynny ddim yn digwydd bob tro. Pan nad yw e'n llwyddo i ddal pysgodyn, mae e'n cyfiawnhau'i ddiwrnod i'w wraig, Gail, wrth "fenthyca" pysgodyn o'r rhewgell yn tŷ ni!

Roedd hi'n braf cael penwythnos tawel gartre a bu

Marie wrthi'n manteisio ar y penwythnos yn gwneud rhagor o drefniadau ar gyfer ein priodas sy nawr ddim ond rhyw ddeng wythnos i ffwrdd.

Dydd Mawrth, 12fed o Orffennaf
(Croft d Piper b P Smith 0/7-0-40-2)

Do, fe enillodd Swydd Warwick yn Lord's ddydd Sadwrn ond nid Brian Lara oedd yr arwr. Yn ôl pob sôn, Paul Smith oedd asgwrn cefn eu llwyddiant. Gobeithio'i fod e, Lara a'u ffrindiau'n dal i ddiodde ar ôl y dathlu!

Cyrraedd Edgbaston mewn pryd i weld bechgyn Warwick yn dangos y tlysau sy yn eu meddiant ar hyn o bryd i dorf ryfeddol o fawr am ddydd Mawrth. Ynghyd â chwpan B&H, enillon nhw dlws NatWest y llynedd ac roedd eu gweld nhw wrthi'n mwynhau derbyn canmoliaeth eu cefnogwyr yn peri i ni deimlo'n fwy penderfynol o wella pethe. Am y tro cynta eleni, rŷn ni wedi ennill mwy o gêmau nag ŷn ni wedi'u colli. Mae 'ma nifer go dda wedi teithio o wahanol rannau o Gymru i'n cefnogi heddiw a gobeithio y cawn ni i gyd reswm dros ddathlu heno. Mae Adrian Dale yn dal yn absennol ag anaf, ond heblaw amdano fe mae'r tîm yn llawn hyder y gall pethe ddal i wella.

Ein dewis ni oedd hi ac fe benderfynodd Hugh fatio gynta. Tim Munton yn bowlio'n gybyddlyd ar y dechre ond Dermot Reeve, eu capten, yn ildio 11 rhediad yn ei ail belawd. Serch hynny, digon araf oedd pethe tan y drydedd belawd ar ddeg pan drawodd Hugh bêl gan

Gladstone Small dros y ffin am 6. Cadw pethe'n dawel oedd bwriad Munton ac roedd ei grynodeb terfynol (8-2-18-0) yn dystiolaeth o'i lwyddiant.

Trawodd ail bêl Paul Smith Hugh Morris yn ei wyneb gan beri iddo syrthio fel sach o datws. Am ryw bum munud roedd hi'n edrych yn debygol y byddai'n rhaid iddo adael y cae, ond ar ôl triniaeth gan Dean Conway penderfynodd ein capten ddangos i weddill ei dîm sut i ddelio ag argyfwng. Llwyddodd i daro'r belen ola am 4 i ddangos i Smith ei fod yn dal ar dir y byw. Yn anffodus, Smith gafodd y gair ola gan fowlio Hugh am 42 ac er i Maynard daro Smith ddwywaith yn ôl dros ei ben am 4, yr un ffawd oedd yn aros Matt wrth i Smith chwalu'i goed. Rhedwyd James allan am 41 ac yna fe ddaeth pelawd dyngedfennol Paul Smith.

Mae'n amlwg bod Smith yn dal i fyw yn y cymylau ar ôl ei ddydd Sadwrn gwych yn Lord's. Cychwynnodd fowlio'r 32ain belawd â'r sgôr ar 120 am 3 wiced. Ein gobaith oedd cyrraedd tua 180 er mwyn gosod nod anodd ar lain a ddefnyddiwyd saith wythnos yn ôl yn y gêm ryngwladol yn erbyn Seland Newydd. Roedd gan Paul Smith a'i ffrindie syniade gwahanol ac fe gipiodd e dair wiced yn y belawd. Daliwyd Hemp gan Roger Twose oddi ar y belen gynta cyn i Ottis ddangos ei allu a tharo'i belen gynta i'r ochr goes am 4. Tair pêl yn ddiweddarach ac fe'i twyllwyd gan Smith a'i ddal coes-o-flaen-wiced.

Yna, fy nhro i oedd hi i gerdded i'r llain o flaen tyrfa fawr oedd yn mwynhau'r haul. Dyma 'nghyfle i osod fy stamp ar y gêm fel ar y dydd Sul hwnnw fis yn ôl yn erbyn Derby yn Abertawe. Pan rwy'n paratoi i wynebu unrhyw fowliwr, rwy i bob amser yn hyderus fy mod yn mynd i sgorio. Os nad yw rhywun yn credu yn ei allu, does dim pwynt chwarae'r gêm. Doedd heddiw ddim yn wahanol i unrhyw ddiwrnod arall. Gofynnais i'r dyfarnwr am ei help i wneud yn siŵr fy mod yn sefyll yn y man gore o flaen 'y nghoed. Edrychais yn fanwl o gwmpas y cae i weld ble roedd y maeswyr. Ciledrychais ar Paul Smith ryw ddecllath ar hugain i ffwrdd a chodais fy mat yn barod i daro'r bêl i gornel pella'r cae. Yn anffodus aeth y bêl heibio i mi ac i ddwylo'u wicedwr nhw, Keith Piper. Rown i ar fin troi i ffwrdd i baratoi ar gyfer dechrau'r belawd nesa pan sylweddolais fod bechgyn Warwick i gyd yn apelio ar y dyfarnwr. Cherddes i ddim yn wirfoddol gan nad oeddwn i'n credu bod fy mat wedi cyffwrdd â'r bêl. Edrychais ar y dyfarnwr mewn pryd i'w weld yn codi'i fys i'm hanfon yn ôl i'r pafiliwn. Heb sgorio. Allan ar y bêl gynta! Falle i mi deimlo fel cawr bum munud yn ôl ond hoffwn petawn i wedi gallu diflannu wrth gerdded yn ddiflas i dawelwch ein stafell newid.

Pum wiced am 22 rhediad oddi ar 30 o belau i Paul Smith a'i gyfaill Neil Smith yn cipio wicedi Lefebvre, Cottey a Watkin. Rhedwyd Metson allan yn rhad ac roedd ein cyfanswm o 155 o leia 25 yn fyr o roi cyfle da i ni ennill.

Dangoswyd rhywfaint o ddirmyg tuag atom pan ddaeth Neil Smith i agor eu batiad nhw gyda Dominic Ostler ac er iddyn nhw sgorio'n gyflymach na ni o'r cychwyn cynta roedd y wicedi'n syrthio'n gyson. Llwyddes i ddal Neil Smith oddi ar fowlio Roland ac yna fe fowliodd Lefebvre Lara am un rhediad yn unig. (Diddorol yw nodi fod Lara wedi sgorio cyfanswm o 134 yn unig yng ngêmau'r Sul ac mae'n debyg mai'r ymadrodd yn lloc y Wasg amdano heddiw oedd "Never on a Sunday – Not even on a Tuesday!") Fe gipies i wicedi Paul Smith ac Asif Din i gyfrannu at 'u cadw i lawr i 81 am 5 wiced yn y bumed belawd ar hugain. Roedd pawb ohonon ni'n llawn hyder, yn maesu'n dda ac yn cefnogi'n gilydd i'r carn. Ateb Reeve a Twose i'n hyder oedd sgorio 56 gyda'i gilydd a symud y sgôr ymlaen i 137 cyn i Barwick fowlio Twose. Sgoriodd Trevor Penney 12 wrth helpu 'i gapten i gyrraedd 156 ac ennill y dydd a dim ond tair pelen yn weddill. Roedd y rhan fwya o'r dorf yn credu fod pelawd arall yn weddill ond am i Warwick fethu â bowlio'u 40 pelawd (yn rhannol oherwydd yr anaf anffodus i Hugh) doedd ganddyn nhw ddim ond 39 pelawd i'w batio.

Rwy i wedi cymryd y cyfle hwn i ehangu'r sylwebaeth ar yr un gêm bwysig hon i ddangos pa mor dene yw'r llinell rhwng ennill a cholli. Sawl gwaith yn ystod y dydd fe gawson ni gyfle i wthio bechgyn Warwick i gornel. Roedd pelawd Paul Smith pan golles i fy wiced i yn un bwysig ac roedd batio Reeve yn allweddol iawn. Mae'r canlyniad yn golygu fod Warwick ar frig y tabl gyda 28 pwynt, 10 pwynt yn fwy na Morgannwg. Mae'n mynd i fod yn anodd iawn i ni bellach ailennill cystadleuaeth y Sul.

Dydd Mercher, 13eg o Orffennaf

Tro Cotts a mi yw hi'r wythnos 'ma i yrru'r fan sy'n cario cyfarpar i gêmau i ffwrdd o Gymru. Mae'n golygu fod y daith o hyd yn araf ac, wrth gwrs, gyrwyr y cerbyd mawr hwn sy'n treulio oriau maith yn cyrraedd ble bynnag ma'r gêm nesa. Yn anffodus, ni yrrodd i Edgbaston bore ddoe ac ymlaen i Enfield i chwarae gêm fudd i Hugh Morris heddiw. Cwestiwn o lwc yw hi os bydd y cerbyd mawr trwm yn cyrraedd pen draw'r byd mewn pryd erbyn y gêm nesa!

Mae'r cae yn Enfield yn agos iawn at gartre Mike Gatting ac mae e'n debyg o alw heibio os oes rhywbeth diddorol fel gêm o griced yn cael ei chwarae gerllaw! Roedd y tywydd yn wych a nifer o Gymry alltud yma i gefnogi Hugh yng Ngogledd Llundain.

Ymlaen â Cotts a mi ar ôl y gêm ar gyfer ein penwythnos yn erbyn Essex a Graham Gooch unwaith eto. Mae'n amlwg fod Gooch yn cario tîm Essex y dyddie hyn ac mae'n anffodus i ni nad yw e bant yn chwarae mewn gêm Brawf yn rhywle.

Erbyn i ni adael Enfield, roedd y rhan fwyaf o'r cymudwyr wedi hen adael cyrion Llundain ac felly doedd y drafnidiaeth ar yr M25 a'r heolydd i Southend ddim yn rhy drwm. Cyrraedd y gwesty am hanner awr wedi wyth yn ddigon blinedig, yn barod am noson gynnar yn y gwely. Cyfle fory i wneud cystal yn erbyn Essex ar eu tomen nhw'u hunain ag y gwnaethon ni'r wythnos ddiwetha yng Ngerddi Sophia. Gyda llaw, gan nad yw Cotts na mi yn gyfarwydd iawn â gyrru'r fan, dw i ddim yn gyfarwydd â lled y cerbyd. Os oes 'na ôl paent ar un neu ddau le ar y ffordd (yn arbennig ar bwmp petrol gerllaw Basildon!), gobeithio na chymerodd neb rif y fan!

Dydd Iau, 14eg o Orffennaf
(Croft: 25-4-77-1)

Deffro ar fore hyfryd a heulog. Popeth yn addo penwythnos sych a phoeth o gwmpas Southend, fel y byddech yn ei ddisgwyl yr amser yma o'r flwyddyn. Llain sy'n addo bod o help i fi erbyn dydd Sadwrn a dydd Llun. Ar y llaw arall dyw'r llain ddim yn addo rhoi help mawr i'r bowlwyr cyflym ac felly bydd 'na dipyn o waith i fi ym matiad cynta Essex.

Graham Gooch yn dewis batio gynta ac yn mwynhau bore ffrwythlon gyda John Stephenson. "Stan" Stephenson, fel Colin Metson a nifer o gricedwyr proffesiynol, yn gyn-fyfyriwr o Brifysgol Durham. Yn hen gydymaith i mi hefyd oddi ar 'y nhaith gynta gyda'r tîm "A" rhyngwladol i'r Caribî, 'nôl ym 1992. Eu sgôr nhw'n symud mla'n at 88 cyn colli wiced. Gollyngodd rhywun (dienw!) gyfle yn y slip oddi ar 'y mhelawd gynta. Gooch oedd y batiwr ond fe ges i ail gyfle pan geisiodd cyn-gapten y tîm rhyngwladol daro pêl wael dros y ffin. Yn ffodus i mi, aeth y bêl yn syth i fyny i'r awyr a syrthio'n weddol gyfforddus i ddwylo diogel Cotts. O gofio bod Gooch wedi sgorio'i 53 oddi ar 92 pêl yn unig, rown i'n ffodus cael tamed o lwc, neu falle y bydde fe wedi adeiladu sgôr enfawr.

Wedi ymadawiad Gooch, digon araf oedd y sgorio, ac er i Hussain (71 h.f.a.) a Stephenson (58) achosi trafferth inni, doedd y cyfanswm o 260 am 7 wiced ddim yn ddigon i roi ofn inni. Dyw Morgannwg ddim wedi colli i Essex yn y bencampwriaeth er 1989 ac fe hoffen ni i gyd weld y record yn cael ei hestyn. Roedd cymryd tair wiced yn y chwarter awr ola (dwy i Watty) o help mawr a'r gobaith yw y gallwn orffen y job yn gynnar yn y bore. Gan nad oedd y wiced yn rhoi llawer o gymorth, Barwick (28 pelawd) a fi (25 pelawd), weithiodd galeta ond dim ond un wiced yr un gawson ni.

Dydd Gwener, 15fed o Orffennaf
(Croft c.o.f. b Irani 31)

Dwy wiced gynnar i Steve Watkin y bore 'ma ac Essex allan am 274 er i Nasser Hussain gadw'i wiced wrth gyrraedd 82. Yn anffodus i ni doedd Hussain ddim wedi cael tymor da tan y gêm hon, ond mae e'n fatiwr rwy'n ei edmygu. Hen gyfaill arall, gyda llaw, o'r daith i'r Caribî ym 1992 sydd newydd fod yn ôl yno gyda'r tîm rhyngwladol eleni ond heb fawr o lwyddiant.

Er i Watty orffen ei fore â phedair wiced am 63, mae arna i ofn mai troellwyr Essex sy wedi ennill y dydd heddiw. Mae ystadegau fy hen gyfaill Peter Such (28-8-78-5) a John Childs (27.3-4-65-3) yn crynhoi hanes y dydd yn dda iawn. Rwy'n mynd allan i swper gyda Such heno a bydd y drafodaeth, wrth gwrs, yn cynnwys eglurhad ar ei lwyddiant heddiw. Fel hen ffrindiau ar ôl y daith i Dde Affrica, mae'r cyfeillgarwch yn gryf a diffuant, ond mae'r cystadlu'n dal yn frwd. Heno, Suchy sy ar y brig a Morgannwg allan am gyfanswm o 248, 26 y tu ôl i Essex.

Er i Jamo gael trafferth ar y dechrau, gan gymryd 10 pelawd i sgorio un rhediad, fe lwyddodd sawl un ohonon ni i greu sylfaen am sgôr sylweddol. Morris (49), Hemp (29), Maynard (35), Cottey (54), fi (31) a hyd yn oed Lefebvre (19) yn addo mwy ond, yn y diwedd, yn methu mynd heibio i gyfanswm Essex.

Dydd Sadwrn, 16eg o Orffennaf
(Croft:- 58-4/1h.f.a.)

Llain i droellwyr yn bendant yma yn Southend ac fe ges i, o'r diwedd, y pleser o gymryd pedair wiced heddiw. Fe gipion ni wiced Gooch yn weddol gynnar y bore 'ma a phan nad oedd eu cyfanswm nhw ond yn 120 am 7 wiced roedd ein gobeithion am fuddugoliaeth yn amlwg.

Ond fe gyfrannodd Mike Garnham, eu wicedwr nhw, 61 heb fod allan. Yn sicr, heb ei gyfraniad e fe fydde Essex wedi bod mewn tipyn o gawl ond roedd bai arnon ni hefyd am fethu â'i dwyllo. Cyfanswm Essex yn y pen draw yn 181 a'n nod ni i ennill yn 208 ac ymhell dros ddiwrnod i gyrraedd y nod. Yn anffodus mae'r troellwyr, Such a Childs, wedi bod wrthi heddiw eto a'n cyfanswm ni o 149 am 5 wiced yn dodi'r gêm yn y fantol ar gyfer bore dydd Llun.

Fe gafodd Hemp anaf ar ei benelin yn maesu i'm bowlio i ac felly dyrchafwyd Ottis i rif tri yn ein trefn fatio. Llwyddiant pendant ar yr olwg gynta wrth i'r gŵr o Barbados glatsio 55 i bob cwr o'r cae. Tra oedd Gibson yn batio roedd 'na obaith y bydden ni'n cadw'n record dda yn erbyn Essex yn y bencampwriaeth. Nawr, fodd bynnag, mae 'da ni dipyn o waith i'w wneud ddydd Llun. Mae angen 59 arall arnon ni i ennill a Colin Metson a fi fydd yn parhau i fatio. Rwy'n gwybod yn well na neb fod y llain yn help mawr i'r troellwyr ac felly rhaid i mi fyw gyda'r nerfusrwydd yn 'y ngwely am ddwy noson. Pan mae angen cyn lleied i ennill, rwy i fel pob crwt ifanc yn breuddwydio am y dydd Llun ac yn gweld fy hunan yn taro'r bêl yn bell dros y ffin (oddi ar fowlio Such, falle) i ennill y gêm. Cerdded yn ôl i'r pafiliwn yn wên o glust i glust i dderbyn y clod, y mawl, y parch a'r bri! Gobeithio nad yw Cotts yn y gwely arall yn gallu torri i mewn i 'mreuddwydion a minnau'n cysgu! Rhaid chwarae gêm undydd fory cyn gweld a wireddir 'y mreuddwyd.

Wyneb trist yn ôl yn ein gwesty heno. Bu cariad Steve James draw o Zimbabwe am bythefnos ond fe aeth hi'n ôl heddiw. Ma' Steve yn treulio pob gaea yn dysgu'r Clasuron ac yn hyfforddi criced mewn ysgol yn Zimbabwe, ond fydd e ddim yn gweld Sue eto tan ganol mis Medi.

Gan ein bod, fel cricedwyr proffesiynol, o dan gontract gyda Morgannwg o Ebrill y cynta hyd at ddiwedd mis Medi, mae angen meddwl am ennill bywoliaeth yn ystod misoedd y gaea hefyd. Ma' Steve James yn hyfforddi ac yn dysgu yn Zimbabwe a David Hemp wedi bod yn hyfforddi a chwarae yn Durban, De Affrica, dros y tri gaea diwetha. Yn y gorffennol mae Hugh Morris, Steve Barwick a Steve Watkin wedi bod yn gweithio dros y gaea yn Ne Affrica, Matthew Maynard yn Seland Newydd ac Awstralia, Anthony Cottey yn Awstralia a De Affrica, Adrian Dale yn Zimbabwe a Seland Newydd, Roland Lefebvre yn Seland Newydd a De Affrica (mae e, wrth gwrs, wedi cynrychioli'r Iseldiroedd hefyd), a Colin Metson yn

Awstralia. Hyd yn hyn, dw i ddim wedi dilyn yr un llwybr. Bûm yn lwcus iawn i fynd ar ddwy daith gyda'r tîm "A" rhyngwladol i'r Caribî, (1992) a De Affrica (1993-94).

Y llynedd, wrth gwrs, wedi tymor hynod lwyddiannus i Forgannwg, dewiswyd pump ohonon ni i fynd ar deithiau gyda'r tîmau rhyngwladol. Bydd rhaid gwella tipyn os yw un ohonom i fynd i Awstralia neu India'r gaea nesa.

Gan 'y mod i'n priodi Marie ar Fedi'r 24ain eleni ac yn adeiladu tŷ newydd yn Llanedi gerllaw'r Hendy a Phontarddulais, bydd yn rhaid meddwl am waith yn y gaea os na chaf fy newis i fynd ar daith ryngwladol. Rheswm arall dros weithio'n galed ar 'y nghriced dros yr wythnosau nesa. Os na chaf fy newis i fynd gyda'r tîm rhyngwladol neu'r tîm "A", bydd rhaid ceisio trefnu cyrsiau hyfforddi o bryd i'w gilydd. Bydd hynny'n 'y ngalluogi i ennill bywoliaeth, hogi'r sgiliau ar gyfer y tymor nesa a helpu bechgyn a merched Cymru i feithrin eu sgiliau criced nhw.

Tra 'mod i'n meddwl am waith yn ystod y gaea fe glywson ni rywbeth diddorol iawn am un o'n cyd-gricedwyr heddiw. Cafodd Cotts a mi yr argraff fod Mike Garnham, wicedwr Essex, yn chwaraewr caled a chystadleuol a'i fod e'n dangos yr un agwedd yn ei fywyd i ffwrdd o'r cae criced. Heno, fodd bynnag, ar ddiwedd y chwarae, roedd e'n dweud wrthon ni am ei gynlluniau ar gyfer y gaea sy'n dod. Yn lle chwilio am waith o ryw fath, mae e'n bwriadu teithio gyda'i frawd ar draws Affrica mewn fan. Yr hyn sy'n ddiddorol yw fod nifer o unigolion a busnesau wedi'u noddi nhw ac fe fyddan nhw'n ceisio dod yn ôl â mwy o wybodaeth am ardaloedd lle mae tlodi'n rhemp a lle mae angen help.

Yma yn Southend ar lan y môr, mae'r penwythnos yn Ŵyl Griced ac ma'r pebyll a'r stondinau fel Maes yr Eisteddfod neu'r Sioe Amaethyddol. Mae'r busnesau lleol yn noddi gwahanol agweddau ar y gêmau ac fe gawson ni wahoddiad i ymuno â chwmni Booth White lle mae'u cyfarwyddwr, Brian Mills, yn edrych ar ein hôl yn dda. Gan ei fod e'n byw yn weddol agos at ein gwesty mae e'n galw heibio bob nos i wneud yn siŵr fod popeth yn iawn ac i gynnig mwy o groeso. Wrth gwrs fod pobol fel Mr Mills yn gobeithio am gyhoeddusrwydd ond mae e hefyd wedi addo helpu Steve Barwick gyda'i dymor budd ym 1995 ac mae creu'r math yma o gysylltiadau o hyd yn werthfawr i gricedwyr proffesiynol sydd â chwe mis yn ddi-waith bob gaea.

Dydd Sul, 18fed o Orffennaf
(Croft: 7-0-41-1/st Rollins b Stephenson 4)

Un o ddiwrnodau rhyfedda 'ngyrfa hyd yn hyn. Y tro cynta i mi chwarae mewn gêm undydd gyfartal. Rwy'n siŵr fod Graham Gooch yn siomedig iawn heno, yn arbennig wedi iddo sgorio 101 oddi ar 100 pelen. Ei gyfraniad e oedd sylfaen cyfanswm Essex o 214 am 7 wiced ac er i Hussain, Knight, Irani a Garnham gyfrannu, heb Gooch fe fydde'n nod ni wedi bod dipyn yn haws ei gyrraedd. Roedd Hussain o fewn dim i gael ei redeg allan am 3 ond fe aeth ymlaen i gyrraedd 33 cyn i Barwick ei ddal ger y ffin oddi ar fy mowlio i.

'Na'r unig lwyddiant i fi ac oherwydd bod y cae'n un mawr, roedd 'na ddigon o gyfle i'r batwyr redeg heb orfod anelu at y ffin drwy'r amser.

Roedd gweld bechgyn Essex wrthi'n hwb i'n calonne ni a doedd y nod o 215 mewn 40 pelawd ddim i'w weld yn ormod amser te. Colli James yn rhad yn rhoi cyfle arall i Maynard ddangos ei ddonie yng nghwmni'r capten. Peter Such yn bowlio Matt am 19 ac yn twyllo Hugh hefyd a rhoi cyfle i'r wicedwr lorio'i goed. A'r sgôr yn 91 am 3 ar ôl 28 pelawd, doedd 'da ni fawr o obaith. Hemp yn dilyn yn ôl i'r pafiliwn a phethe'n mynd o ddrwg i waeth. Ond yna Cottey a Gibson (fel Robin a Batman!) yn clatsio popeth i bob cwr gan ychwanegu 76 yn gyflym iawn am y bumed wiced.

Pan ymunodd Ottis â Cotts roedd angen 113 arnom oddi ar 10 pelawd a neb yn credu fod 'da ni obaith. Yn ffodus, er nad oedd llawer o Gymry wedi teithio'r holl ffordd i ben pella Lloegr, doedd y dyrfa ddim yn rhy gas am unwaith. Rhaid cyfarwyddo â'r ffaith ein bod, fel Cymry, yn destun gwawd a dirmyg i nifer fawr o gefnogwyr criced ledled Lloegr. Atebodd Cotts unrhyw wawd â batio o'r safon ucha. Fe drawodd e'r bêl yn galed iawn ac roedd un ergyd oddi ar fowlio Kasprowicz allan o'r cae yn fythgofiadwy. I ddangos ei fod e'n gryfach na Cottey, fe drawodd Gibson y bêl dros y ffin i mewn i lyn sy tu allan i'r cae! Roedd yn rhaid i'r ddau ohonyn nhw'i siawnso hi ac fe fowliwyd y ddau wrth daflu'r bat, Cottey am 70 a Gibson am 33. Chyfrannais i fawr o ddim ond roedd sgôr Colin Metson (14 h.f.a.) yn hollbwysig. Yn y diwedd roedd angen 2 rediad o'r belen ola a Steve Barwick i wynebu Ronnie Irani! Ma Barwick yn gricedwr profiadol iawn, er nad ei fatio yw ei gryfder. Gan nad oedd y cae'n llyfn iawn, a nifer dda o dywyrch o borfa trwchus hwnt ac yma, roedd pawb ohonon ni'n ôl yn y pafiliwn yn credu y gallai Bas a Meto redeg dwy os gallai Bas gael ei fat ar y bêl. Gwireddwyd y rhan gynta wrth i Bas daro'r bêl i'r awyr dros y maeswyr ar yr ochr olau. Yn anffodus, roedd Nick Knight yn sgubo wrth y ffin ac fe redodd e'n gyflym i redeg Barwick allan o un droedfedd yn unig. Sylweddolwyd bod y rhediad cynta'n cyfri ac felly gêm gyfartal oedd hi wedi'r holl gyffro!

Cymysgedd o siom a llawenydd heno a phawb ohonom yn teimlo'n hapusach na phêl-droedwyr yr Eidal ar ddiwedd gêm derfynol Cwpan y Byd. O leia fe gawson ni ddau bwynt o'n hymdrechion ni heddiw ac roedd pawb mewn hwyliau digon da wrth edrych ar y gêm bêl-droed ar y teledu ym mar y gwesty. Yng nghefn 'y meddwl i, fodd bynnag, mae'r gwaith o ennill bore fory. Rwy'n dal ar un heb fod allan a Metson heb sgorio hyd yn hyn. Gobeithio y byddwn ni'n dau yn cysgu'n dda heno.

Dydd Llun, 18fed o Orffennaf
(Croft d Hussein b Childs 16)

Roedd y pwysau i gyd ar ysgwyddau Colin Metson a fi y bore 'ma ac fe ddechreuon ni'n ddigon da. A dim ond angen 59 arall i ennill, roedd hi'n amlwg mai'r ddau ohonon ni oedd â'r gallu i sicrhau buddugoliaeth. Fe lwyddon ni i ychwanegu 34 a chael gwared ar Such ac roedd pethe'n addawol. Y llain yn dal i helpu'r troellwyr ond y sgôr yn symud ymlaen a'r ddau ohonon ni'n gyfforddus. Irani'n bowlio yn lle Such ac, yn anffodus iddo fe ac i'r tîm, fe gollodd Meto'i amynedd a chodi'i lygaid i'r awyr wrth geisio taro'r bêl. Rŷn ni i gyd yn gwybod ei bod hi'n rhaid gwylio'r bêl yn cyffwrdd y bat bob amser ond rŷn ni i gyd yn anghofio gwneud hynny o bryd i'w gilydd. Dyna beth ddigwyddodd i Colin y bore 'ma. Y canlyniad – allan, coes-o-flaen-wiced am 15. Y cyfanswm yn 181 a dim ond 27 arall i ennill. Penderfynodd Gooch ddyfal-barhau gyda'i droellwyr ac o fewn dim roedd Essex wedi ennill o ddeunaw rhediad.

Enghraifft arall o sut y gall un digwyddiad bach olygu'r gwahaniaeth rhwng ennill a cholli a gwers galed i ni'i dysgu unwaith eto. Heb os fe ddylen ni fod wedi ennill ond yn lle hynny diwrnod arall y bydd yn well 'da fi'i anghofio. Serch hynny, fe gipies i wicedi dros y penwythnos ac mae hynny'n rhoi tipyn o hyder i mi am weddill y tymor. Un peth sy o hyd yn rhyfeddu llawer o ddilynwyr criced proffesiynol yw'r help mae chwaraewyr yn fodlon ei roi i wrthwynebwyr. Dros y penwythnos hwn fe ges i dipyn o gyngor gan Peter Such a John Childs. Er mai troellwr llaw chwith yw Childs, mae e'n un o'r troellwyr mwya profiadol ac mae'i gyngor bob amser yn werthfawr.

Dydd Mawrth, 19eg o Orffennaf

Hyfforddi yn Aberystwyth yn y bore a'r prynhawn ac

yn ôl adre mewn pryd i bysgota am ddwyawr. Diwrnod gwahanol ymhell o bwysau cystadleuol a chyfle i ymlacio yng nghefn gwlad Cymru.

Dydd Mercher, 20fed o Orffennaf

Gêm fudd i Hugh Morris yn y Bont-faen, y dre fach ym Mro Morgannwg lle tyfodd e i fyny. Cefnogaeth arbennig o dda iddo, yn ôl y disgwyl. Fel arfer ar ddiwrnod fel heddiw, mae'r ffaith fod 'na gefnogaeth dda yn llawer mwy pwysig na chanlyniad y gêm. Diwrnod digon hapus a choffrau budd y capten yn chwyddo.

Dydd Iau, 21ain o Orffennaf
(Croft: 22-4-84-1)

Ein hymweliad blynyddol â'r Fenni eleni i chwarae yn erbyn Swydd Gaint. Pawb yn edrych ymlaen at ddod yma bob blwyddyn gan fod pawb sy'n trefnu'r bwyd ar gyfer y ddau dîm yn credu'u bod nhw mewn cystadleuaeth â Nancy yn Lord's! Os oes rhywun am golli pwysau, ddylen nhw ddim dod i'r Fenni i chwarae criced 'da Morgannwg na gyda'n gwrthwynebwyr ar ddiwedd mis Gorffennaf. Ma' Gron, sy'n gofalu am ein stafell newid, wrth ei fodd yma bob blwyddyn. Nawr, dyw Gron ddim yn foi bach, ond 'ma merched y Fenni isie'i fwydo fe lan bob blwyddyn a mae e ar ben ei ddigon, yn byta digon i bedwar heb drafferth.

Cae sy'n enwog fel mynwent i fowlwyr sy 'ma yn y Fenni gan fod y llain yn isel iawn, y ffin yn agos at y llain a'r bêl yn rasio i'r ffin dros y glaswellt. Petai Hugh Morris wedi cael y dewis y bore 'ma, fe fydden ni wedi batio gynta. Yn anffodus fe alwodd Mark Benson, capten Swydd Gaint, yn gywir a bant â fe a'i gydymaith, Trevor Ward, i gynaeafu rhediadau yma yng Ngwent. Cant digon cyfforddus i Ward (cyn i fi'i dwyllo – coes-o-flaen) a 66 i Benson. Ond y batiwr gore yn eu tîm nhw, heb os, yw'r gŵr o'r Caribî, Carl Hooper. Rhyfeddod i lawer yw nad yw ei yrfa mewn gêmau Prawf wedi bod yn fwy llewyrchus. Yn ôl eraill, er mor dalentog yw e, ma' ganddo fe wendidau seicolegol yn erbyn rhai bowlwyr. Roedd y rhan fwyaf ohonon ni, yn arbennig Colin Metson, yn hollol siŵr i'n wicedwr ei ddal tu ôl ond gwrthododd Hooper gerdded. Beth bynnag am hynny, mae e'n dal yno heno, yn anelu at gant, a bechgyn Morgannwg yn teithio i'w cartrefi'n flinedig ac yn gofidio am orfod treulio diwrnod arall allan yn y gwres a'r haul. O leia dim ond dau rediad sgoriodd Matthew Fleming sy, mae'n debyg, yn ŵyr i Ian Fleming (yr awdur a greodd James Bond). Os na fydd Fleming yn sgorio mwy na 007 o rediadau, bydd ei wrthwynebwyr yn ddigon hapus!

Dydd Gwener, 22ain o Orffennaf
(Croft d Marsh b McCague 6)

Gohirio dechre'r chwarae heddiw am chwarter awr am fod y Tywysog Charles yn ymweld â Gwent ac wedi galw heibio i weld ychydig o griced y bore 'ma. 'Y ngobaith i oedd y byddai'i hofrenydd e'n glanio ar y llain a gwneud twll neu ddau yn y mannau iawn i'm helpu i gyda gweddill tîm Caint! Ddigwyddodd mo hynny, ond fe fowliodd Roland Lefebvre yn arbennig o dda i gipio pedair wiced. Roedd ei ystadegau o 25.2-6-63-4 yn wych o dan yr amgylchiadau. Er mai cipio wicedi rhif 7, 8, 9 ac 11 wnaeth e, maen nhw'n llawn mor bwysig ag 1, 2, 3 a 4 yng nghyd-destun y batiad.

Gan fod ymwelydd brenhinol yma, roedd 'ma dyrfa go fawr hefyd ac fe gawson nhw'u difyrru gan ddiwrnod da o griced. Yn anffodus iddyn nhw, ar ôl llwyddiant Roly y bore 'ma, chawson nhw ddim llawer o gyfle i ddathlu wrth weld Morgannwg yn batio. Do, fe sgoriodd Hugh 67 i osod y safon, fel y disgwylir gan gapten, ond yn anffodus, addo llawer cyn methu fu hanes y rhan fwya o'n batwyr. Gan na sgoriais i ddim ond 6, rwy'i mor euog â neb am heddiw, yn arbennig o gofio 'mod i'n gwbod pa mor anodd yw hi i fowlio ar y llain yma.

Diolch i ymdrech wych arall gan Ottis Gibson (67) a thipyn o help gan Colin Metson (17) fe grafon ni heibio i 258 a gorfodi Caint i fatio nesa. Doedd ein cyfanswm o 266 fawr gwell na chywilyddus ac fe ddechreuodd Trevor Ward rwbio halen yn y briw a sgorio 47 o'u cyfanswm o 60 am un wiced erbyn diwedd y chwarae. Ma' Ward wedi sgorio 4 cant ac un sgôr o 90 yn ei bum batiad diwetha ac mae'n paratoi heno i achosi mwy o broblemau inni fory.

Dydd Sadwrn, 23ain o Orffennaf
(Croft: 34-5-88-3)

Ces sgwrs gynnar gyda'r dyfarnwr, Alan Whitehead, y bore 'ma. Aeth y sgwrs o dipyn i beth at f'edmygedd i o fatio Carl Hooper. Dywedais wrth Whitehead 'y mod i'n credu mai Hooper yw'r batiwr gore yn y byd yn erbyn troellwyr llaw dde. Adroddodd y dyfarnwr stori wrtho' i am John Emburey, rai blynyddoedd yn ôl, yn dweud yn union yr un peth ar fore cynta gêm rhwng Middlesex a Chaint yn Lord's ar ddechrau tymor ar ôl i Emburey fod yn y Caribî gyda'r tîm rhyngwladol. Pan ddaeth hi'n amser i Hooper wynebu bowlio Emburey'n ddiweddarach yn y dydd, fe ddaliodd mentrwr ochr goes Hooper allan â'r bêl gynta! Sôn am hanes yn ei ailadrodd ei hunan! Beth ddigwyddodd yn nes ymla'n heddiw ar ôl y sgwrs 'da Whitehead? Fe dwyllais i Hooper a'i drapio coes-o-flaen 'da'r bêl gynta i mi ei bowlio ato!

Yn anffodus, roedd Hooper wedi sgorio 30 yn barod wrth helpu Ward ar ei ffordd i 125 a gyda Graham Cowdrey (39), Fleming (22), Mark Ealham (43) a Martin McCague (36) yn gwneud cyfraniad, chawson nhw ddim llawer o drafferth cyrraedd cyfanswm o 330. Nod anferth o 473 i ni ennill a phawb yn sylweddoli y byddai'n rhaid i ni fod ar ein gore i neud hynny.

Barwick a fi fowliodd fwya eto a phrofiad Steve yn dangos yn ei grynodeb o 34.1-10-79-4. Doedd ein maesu ddim cystal ag y gallai fod ac y dylai fod pan fo cynifer ohonon ni'n dal yn ifanc ac yn ffit, ond roedd pawb yn weddol o ffyddiog fod y nod o fewn ein cyrraedd. Roedd y tywydd yn fendigedig eto ac fe dalwyd i'r clwb lleol am ei ymdrechion gan ddiwrnod gwych o griced.

Cyn troi'n meddyliau at y gêm undydd fory, fe ddechreuon ni ar y gwaith o geisio sgorio'r 473 'na ac roedd y dechrau'n ddigon da. Yn anffodus, cipiodd Min Patel (eu troellwr llaw chwith nhw) wiced Steve James â phêl arbennig o dda. Rwy i, fel troellwr, yn barod i edmygu'r belen am iddi lamu a throi cymaint oddi ar y llain sych sy'n dechrau treulio. Doedd dim bai ar James, ond y trueni oedd ei fod yn edrych yn fwy hyderus heddiw nag ers sbel fach ac roedd e'n siomedig mai dim ond deg ar hugain sgoriodd e. Yn anffodus, ma' Patel ar ben ei ddigon ar hyn o bryd, yn anelu at gyfanswm o gant o wicedi am y tymor. Llawer o bobl yn ei weld yn chwarae i'r tîm rhyngwladol cyn hir, efalle'n camu i sgidie Phil Tufnell.

Dydd Sul, 24ain o Orffennaf
(Croft: d Marsh b Igglesden11)

Symud draw am y gêm undydd i Lyn Ebwy, un arall o drefi Gwent oedd yn trefnu diwrnod o griced. Yn anffodus, siom fawr i ni ac i'n cefnogwyr wrth i Swydd Gaint ddwyn dial am ennill pencampwriaeth y Sul yng Nghaer-gaint y llynedd. Cae gweddol fach sy 'ma felly dyw e ddim yn ffafrio troellwr, yn arbennig mewn gêm undydd. Doedd y tywydd ddim o help i fi chwaith, wrth i stormydd dorri o'n hamgylch.

Oherwydd y glaw a ddilynodd y storm, cwtogwyd y batio i 28 pelawd yr un i'r ddau dîm. Wedi ychydig o lwyddiant cynnar i ni, fe welson ni Hooper ar ei orau'n dangos y doniau sy'n ei wneud e'n un o'r cricedwyr mwya cyffrous i'w wylio. Trigain ganddo fe a chyfraniadau gwerthfawr gan Fleming (32), Cowdrey (24) a Long (17) yn golygu cyfanswm o 155 am 7 wiced a'n bechgyn ni'n ddigon ffyddiog y gallen ni gyrraedd y nod. Diwrnod da i Colin Metson tu ôl i'r coed, yn dal pedwar batiwr ar brynhawn pan oedd y golau'n amrywiol.

Fe ges i ddamwain anffodus wrth faesu a chamleoli bys bach fy llaw chwith. Os ŷch chi erioed wedi gwneud hyn, fe fyddwch chi'n deall pa mor boenus yw e. Siwrne drawodd 'y mys i'r ddaear wrth imi geisio maesu, rown i'n gwbod fod rhywbeth eitha difrifol wedi digwydd. Yn ffodus, ma' Roland Lefebvre yn physiotherapydd trwyddedig ac fe ddaeth e draw i dynnu'r bys yn ôl i'w le iawn. Yn anffodus, roedd gormod o chwys ar ei ddwylo i'w alluogi i afael yn 'y mys. Y canlyniad oedd fod y poen yn gwaethygu bob tro roedd e'n tynnu ar y bys! Yn y diwedd, bu raid i Dean Conway ddod ar y cae ac fe lwyddodd e i dacluso'r annibendod ar fy llaw. Ma' gweddill y dydd wedi bod yn eitha poenus ac fe fydd y bys yn anystwyth iawn am rai dyddiau.

Roedd hi'n dda gweld Adrian Dale yn ôl yn chwarae heddiw ar ôl anaf i'w law. Er iddo ildio 28 o rediadau oddi ar ei dair pelawd, fe gipiodd e ddwy wiced. Ar ddiwrnod fel heddiw, a'r gêm wedi'i chwtogi gymaint, mae'n fwy o fater o siawns nag arfer i fowliwr. Bydd y batiwr yn clatsio ac weithiau fe fydd ei lwc e'n dal a phryd arall yn methu. Rhyw gymysgwch gafodd Dale heddiw ond mae'n dda 'i weld e'n ôl. Fe oedd ein batiwr gore ni, yn cyrraedd 48, ac yn ein dodi o fewn trwch blewyn o ennill. Yn anffodus, er i Gibson (31) gyfrannu'n rymus, fe redon ni mas o belawdau a cholli o wyth rhediad. Siom arall wrth i bawb sylweddoli fel y gallen ni fod wedi ennill heddiw eto. Y drafodaeth yn ein stafell newid yn troi o amgylch y ffaith ein bod ni'n colli'r fantais yn rhy aml a ninnau ar fin ennill y dydd. Roedd pawb yn cytuno ein bod wedi bod mewn sefyllfa i ennill, ond i ambell gamsyniad dwl daflu'r fantais bant.

Dŷn ni ddim wedi chwarae'n criced gorau dros y bythefnos ddiwetha. Cyn mynd i Edgbaston am y gêm undydd, roedden ni i gyd yn llawn hyder ac yn meddwl ein bod ni wedi troi'r cornel a symud i ddyddiau gwell. Dyw'n gobeithion ni ddim wedi'u gwireddu, ond rhaid dysgu o'n camgymeriadau. Ma' gêm fawr iawn 'da ni ddydd Mawrth yn Abertawe, yn erbyn Surrey yn Nhlws NatWest, a rhaid i ni wella ar heddiw a defnyddio'r profiad o ddiwrnodau fel heddiw i geisio gwella ac ennill o flaen y dorf fawr fydd yn siŵr o fod ar gae San Helen. Digon o gyfle, yn sicr, i nifer ohonon ni ymarfer â'r bat fory wrth anelu am y nod o 473. Rhaid, wrth gwrs, i ni feddwl am ennill, ond fe fyddai batio'n hir a rhwystro Swydd Gaint rhag ennill yn rhywbeth a allai godi'r ysbryd yn ein stafell.

Dydd Llun, 25ain o Orffennaf
(Croft: d McCague b Patel 12)

'Nôl i'r Fenni am ddiwrnod ola'r gêm yn y ben-campwriaeth. Angen sgorio 416 yn ystod y dydd a naw wiced yn weddill. Fe gollon ni bedair wiced cyn cyrraedd cant a hanner a doedd neb yn y dorf yn gweld gobaith i ni. Erbyn hynny roedd David Hemp wedi sefydlu'i hunan a'r peth pwysig oedd fod rhywun yn aros gydag e. Eleni, does neb gwell na Cottey i'n hachub ac, yn wir, fe weithiodd e'n arbennig o dda unwaith eto. Dyma fatiad gore Hemp dros Forgannwg hyd yn hyn, er iddo golli'i wiced am 133, tri rhediad yn fyr o'i sgôr ore. Mae'n edrych yn fwy tebygol o ddydd i ddydd y bydd e'n ennill ei le ar yr awyren gyda'r tîm "A" rhyngwladol i India ar ôl y Nadolig. Pwy a ŵyr, os bydd Cotts yn gwella ychydig ar ei chwarae'n gyffredinol, falle bydd y ddau ohonyn nhw'n mynd. Yn sicr, os oes rhywun arall ohonon ni'n gobeithio mynd ar y daith, mae'n rhaid i ni gael gwell mis Awst o dipyn i haeddu cael ein dewis.

Yn anffodus, er yr holl waith caled gan Hemp a Cotts, colli oedd ein hanes heddiw eto ond dim ond ar ôl brwydr galed. David oedd y cynta i ddychwelyd i'r pafiliwn, yn haeddu'r clod ond eto'n siomedig nad oedd wedi ennill y gêm i ni. Naw pelen a dau rediad yn unig ar ôl i Hemp fod allan, rown i ar ben pella'r llain i weld Tony'n cael ei ddal gan y wicedwr, Marsh, oddi ar fowlio McCague am 80 a dyna ddiwedd ar ein gobeithion unwaith eto. Doedd fy neuddeg i, pymtheg Gibson a thri ar ddeg Lefebvre ddim yn ddigon o gyfraniad gan y tri ohonon ni ac roedd yr un hen siom yn amlwg yn ein stafell ar ddiwedd y chwarae. O wel, **rhaid** i ni wneud rhywbeth arbennig o dda yn Abertawe fory neu 'na ddiwedd ar ein gobeithion am ennill unrhyw wobr eleni.

Dydd Mawrth, 26ain o Orffennaf

Glaw yn Abertawe i siomi llawer eto. Dyw'r tywydd ddim wedi bod yn garedig i ni eleni yma yn Abertawe. Am yr eildro'n olynol rŷn ni'n gorfod chwarae'n gêm yn Nhlws NatWest ar y diwrnod sbâr. O leia, pan oedden ni'n chwarae yn erbyn Swydd Lincoln yn y rownd gynta doedd 'na ddim llawer o bobol wedi cymryd diwrnod o wyliau i ddod i'r criced. Heddiw, ar ddiwedd Gorffennaf, a'r plant ar eu gwyliau o'r ysgol, roedd 'na nifer o dadau wedi dod â'u plant i weld gêm gyffrous a gweld dim oherwydd y glaw. Y llynedd, pan chwaraeon ni yn erbyn Caerwrangon yma ar ddiwedd Gorffennaf, fe ddechreuon ni am hanner awr wedi dau ac fe welodd pawb ryw bum awr o chwarae. Yn anffodus, all neb ohonon ni wneud dim byd i wella'r tywydd, yn arbennig yma yng Ngorllewin Cymru.

Mynd i'r gwely heno a gobeithio y bydd pethe'n well fory. Mae'n amlwg y bydd y fantais gynta'n mynd i'r tîm fydd yn cael y dewis. Yn anffodus i ni, ma' 'na rai cefnogwyr ac aelodau o'r Wasg yn galw am waed yn sgil ein methiant diweddar. Ma' hyn yn rhoi mwy o bwysau arnon ni i gyd ac roedd yr holl sefyllian o gwmpas heddiw'n rhoi mwy o gyfle i'r beirniaid hogi'u cleddyfau. Hyn i gyd a ninnau'n ceisio canolbwyntio ar y gêm o'n blaen fory, os bydd y tywydd yn caniatáu. Rŷn ni'n chwaraewyr criced proffesiynol, yn gwneud ein gore, ac os nad yw'n gore'n ddigon da, ma'n rhaid derbyn y canlyniadau. Yr unig ffordd o ateb y beirniaid yw trwy chwarae'n dda fory a churo Surrey. Os llwyddwn ni i wneud hynny gyda pherfformiad da fel unigolion ac fel tîm, fe fydd gan y tîm rywbeth newydd i anelu ato ymhen pythefnos yn y rownd nesa ac fe fydd cleddyf Damocles wedi'i ddodi i'r naill ochor am gyfnod hefyd.

Dydd Mercher, 27ain o Orffennaf
(Croft: c.o.f. Murphy 0/8-4-1-24-2)

Diwrnod mwya'n tymor hyd yn hyn. Cyn dechrau'r chwarae, fe gawson ni glywed y byddai'r enillwyr yn chwarae yn erbyn Swydd Gaerwrangon yn y rownd gyn-derfynol bythefnos i ddoe. Pawb yn y ddau dîm yn falch osgoi Swydd Warwick gan eu bod nhw'n dal i anelu at ennill pob cystadleuaeth eleni. Mae'n amlwg fod Dermot Reeve, Brian Lara a'r gweddill o'u bechgyn nhw yn chwarae'n well na phawb arall. Ddylen ni ddim anghofio fod gan Swydd Gaerwrangon eu harwyr hefyd, Graeme Hick a Steve Rhodes (y ddau'n chwarae mor dda dros y tîm rhyngwladol ar hyn o bryd), y gŵr o Awstralia, Tom Moody, a nifer o fechgyn eraill sydd wedi chwarae criced rhyngwladol, Curtis, Illingworth, Newport a Radford. Fydd pethe ddim yn hawdd yn eu herbyn nhw chwaith, ond yn gynta rhaid ennill heddiw.

Yn anffodus, fe gafodd Alec Stewart y dewis a'n gorfodi ni i fatio gynta ar lain oedd yn dal yn llaith ar ôl yr holl law. Roedd yr awyrgylch yn eu helpu nhw hefyd ac fe fowliodd Cameron Cuffy'n arbennig o dda. Ma' bowlio deuddeg pelawd a chipio dwy wiced gan ildio naw rhediad yn unig yn fowlio cybyddlyd iawn ac mae cael Cuffy fel eu chwaraewr tramor yn gaffaeliad mawr i Surrey. Ynghyd â hyn, fe gipiodd Tony Murphy chwe wiced am chwe rhediad ar hugain yn ei ddeuddeg pelawd i ddinistrio'n batiad ni. Ar un adeg, roedden ni newydd basio'r hanner cant ac wedi colli pum wiced yn barod. Doedd pethe ddim yn argoeli'n dda, ond fe wnaeth Cotts ac Ottis eu gore i achub y dydd a mwy na dyblu'r sgôr. Yn ffodus iawn, fe gyfrannodd Lefebvre, Metson a Watkin fwy na'r disgwyl ganddynt i wneud y cyfanswm o 161 yn un gweddol barchus. Ond dim digon o bell ffordd i fod yn gyfanswm cyfforddus i'w amddiffyn. I ddangos pa mor anodd oedd hi i fatio yn hanner cynta'r dydd, mae'n werth nodi i Stewart, capten a wicedwr Surrey, ddal nifer o'n batwyr ni. Roedd y bêl yn gwyro'n sydyn ac yn hwyr ac fe fanteisiodd Murphy ar gyflwr y llain ac ar y tywydd yn ystod hanner cynta'r dydd. Rhywbeth diddorol am Murphy yw iddo fod unwaith yn fyfyriwr ym Mhrifysgol Abertawe ac iddo fod yn gapten ar eu tîm criced nhw. Ambell gefnogwr heddiw'n cwyno nad oedd Morgannwg wedi'i recriwtio'r pryd hwnnw fel y galle fe fod wedi ennill y gêm i ni heddiw.

Yn lle hynny, Surrey enillodd y dydd, diolch yn benna i Murphy. Mae'n werth ychwanegu yma – a thorri ar draws y gêm hon – i'ch atgoffa na ddewiswyd

Murphy yn y rownd nesa yn erbyn Caerwrangon. Ei ymateb oedd gwacáu ei gwpwrdd yn yr Oval a gadael Clwb Surrey. Rhoi'r gore i griced proffesiynol, gymaint oedd ei siom. Mae'n hawdd deall ei ymateb ar ôl iddo gael ei wobrwyo fel Seren y Gêm yma yn San Helen. Yn anffodus iddo fe, doedd Surrey ddim yn ei weld fel chwaraewr pencampwriaeth ond fel chwaraewr undydd yn unig. Colled i griced yn gyffredinol a rhywbeth a fydd yn rhyfeddu pawb oedd yn gwylio'r gêm hon yn Abertawe.

Roedd cefnogaeth y dorf i ni yn anhygoel ac mae colli o flaen torf mor dda o hyd yn siom fawr i'r bechgyn. Ar ddechrau batiad Surrey, fe wyrodd y bêl unwaith neu ddwy ac fe aeth un cyfle cynnar oddi ar fat Stewart ar goll rywle rhwng Colin Metson a'r capten oedd yn sefyll fel slip. Ar ôl i ni gipio wicedi Stewart a Darren Bicknell, Graham Thorp yn pasio'i hanner cant oedd y batiad allweddol. Os llwyddai un batiwr i aros yno'n ddigon hir a sgorio'n weddol, roedd hi'n amlwg y byddai'i dîm e'n siŵr o ennill. Dyw'r gêm ddim wedi'i cholli tan i'r belawd ola orffen ac roedd cipio dwy wiced yn galonogol i mi. Yn anffodus, methu â'r bat oedd fy hanes i ac felly fe fydd 'na alw am 'y ngwaed i gan rai o'n cefnogwyr a charfanau o'r Wasg. Roedd angen tua 200 arnon ni i gael cyfle i ennill a doedd fy mreuddwyd o sgorio 30-40 ddim yn ddigon.

Ma'n rhaid gwireddu'r freuddwyd. Dyw breuddwyd ddim yn cyfrif o gwbl ar y cae. Heno, gartre yn fy ngwely am hanner awr wedi deg, rwy'n gofidio'n arw ynghylch cadw fy lle yn y tîm fory yn erbyn Gwlad yr Haf. Doedd neb yn gwenu yn ein stafell ar ddiwedd y chwarae heddiw a phawb yn gofidio ynglŷn â phenderfyniad Hugh fory. Yn y pen draw, ei gyfrifoldeb e ac Alan Jones, yr hyfforddwr, yw'r canlyniadau ac, yn y cefndir, ma' 'na aelodau o bwyllgorau'r clwb yn siŵr o fod yn rhoi pwysau ar wella'n canlyniadau. A bod yn onest, mae'n anodd cysgu heno gan fy mod yn ofni'r gwaetha. Yn bersonol, er i mi fethu gyda'r bat heddiw, rwy'n teimlo'n eitha ffyddiog yn 'y ngallu i chwarae rhan bwysig yn adfywiad Morgannwg am weddill y tymor ac yn y dyfodol. Yn anffodus, os nad yw'r canlyniadau'n adlewyrchu ffydd yr unigolion yn y tîm, mae'n rhaid i'r capten wneud fel mae e'n dewis. Rwy'n gobeithio y caf 'y newis fory ond rhaid aros i weld beth sy'n digwydd yn y bore.

Does dim modd i Forgannwg ennill unrhyw dlysau eleni ac felly does dim byd 'da ni nawr i chwarae amdano heblaw ein henw da ac enw da Clwb Morgannwg a Chymru. Ar noson fel heno rwy'n teimlo 'mod i wedi gadael y cefnogwyr a 'ngwlad i lawr. Pan fo pethe'n mynd yn dda, ma' pawb yn gwenu ac yn falch eich nabod chi. Heddiw, ar ddiwedd y gêm, rown i'n teimlo'n falch cael cuddio yn y stafell newid, mas o olwg yr holl siom ar wynebau'n cefnogwyr ni. Rwy'n sylweddoli na all chwaraewr unrhyw gêm broffesiynol fwynhau llwyddiant parhaol, ond pan fo siom a methiant yn dod mae'n gwneud bywyd yn annioddefol dros dro. Dros dro. 'Na'r geiriau pwysig. Ma' llai na blwyddyn er i ni ennill Tlws AXA Equity & Law a chael tymor llawer mwy llwyddiannus na hwn. Dŷn ni ddim yn waeth chwaraewyr eleni ac fe ddaw ein hamser eto cyn hir. Dyna sy'n mynd trwy 'meddwl i heno wrth geisio cysgu, ond dyw 'ngobaith am welliant yn y dyfodol ddim yn mynd i newid yr hyn fydd yn digwydd bore fory. O nabod Hugh, falle'i fod e ar ddi-hun yn ei gartre yng Nghaerdydd, yn paratoi i gyhoeddi'r newyddion drwg yn y bore.

Dydd Iau, 28ain o Orffennaf

Am y tro cynta ers tair blynedd a hanner rwy i allan o'r tîm cynta. Rown i'n siomedig iawn pan alwodd Hugh fi i'r naill ochr i ddweud wrtho' i nad o'wn i'n chwarae. Mae e ac Alan Jones eisiau arbrofi a rhoi cyfle i fechgyn ifanc fel Alisdair Dalton a'r troellwr llaw chwith, Stuart Phelps. Yn lle treulio'r diwrnod allan ar y cae, yn bowlio ac yn maesu, ces gyfle i wylio'n bechgyn ni wrth eu gwaith. Yn anffodus, diwrnod diflas o griced gawson ni a thîm Gwlad yr Haf yn batio'n araf iawn. Fe gipiodd Gibson ddwy wiced yn gynnar iawn a Metson yn dal Lathwell a Trescothick (dau fachgen ifanc y mae gobaith mawr iddynt). A'u sgôr nhw'n 3 am 2 wiced ac yna'n 43 am 3, roedd gobaith i ni weld Morgannwg yn batio'n gynnar, ond nid felly y bu. Ymunodd Andy Hayhurst, eu capten nhw, gyda Richard Harden ac roedd y ddau'n benderfynol o aros ar y cae. Roedd hi'n edrych fel nad oedd ganddyn nhw ddiddordeb mewn sgorio rhediadau, dim ond aros wrth y llain. Fe gymerodd Hayhurst bedair awr a thri chwarter i gyrraedd ei gant a phan gipiodd Gibson wiced Harden am 90, roedd y batiwr wedi bod wrth ei "waith" am 231 o funudau!

Fe fowliodd Barwick 41 pelawd yn amyneddgar ac mae'n edrych fel petai'n mynd i dorri fy record i am y nifer mwya o belawdau mewn un batiad. Mae'i grynodeb e (41-15-67-0) yn dangos yn wych pa mor araf oedd y batio. Fe fowliodd Phelps 22 o belawdau ac, er cymaint fy siom i am fethu chwarae, ma' pob pelawd yn gyfle pwysig iddo fe ddysgu ar gyfer dyfodol Morgannwg. Doedd cyfanswm Gwlad yr Haf (257 am 4) ddim yn un da, a falle y caiff Steve Barwick y cyfle fory i dorri fy record o fowlio 62 pelawd mewn un batiad a hefyd 96 pelawd mewn un gêm.

Dydd Gwener, 29ain o Orffennaf

Do, fe dorrodd Barwick y record gynta ac fe gafodd e'i wobr trwy gipio'r wiced ola. Meddyliwch, bowlio am oriau dros ddiwrnod a hanner heb lwyddiant ac yna cipio wiced gyda'i 392ed pelen! 'Na beth yw amynedd! Dim ond clywed am hyn yn ail law wnes i gan nad oedd rhaid i mi fod yn San Helen ac roedd yn well gen i ymlacio ymhell o'r criced yn pysgota! Cyfle i hel meddyliau a cheisio cynllunio sut wy'n mynd i ailennill fy lle yn y tîm cynta. Mae'n amlwg y bydd yn rhaid i fi chwarae yn yr ail dîm am o leia un gêm ac os gallaf sgorio'n dda a chipio sawl wiced, fe fydda i'n profi i Hugh, i weddill y tîm, ac i gefnogwyr Morgannwg, 'y mod i'n haeddu cael 'newis unwaith eto.

Ar ddiwedd y dydd, roedd rhaid gweld sut oedd pethe wedi mynd yn Abertawe ac fe ges i'r hanes gan Cotts, sy'n byw yn agos ata i yn Llanedi. Gwlad yr Haf i gyd allan am 372 a Morgannwg yn ateb â 222 am 4. David Hemp yn brif sgoriwr, yn cyrraedd 77 ac yn pasio mil o rediadau am y tymor – y cynta o Forgannwg i 'neud hynny eleni. Mae'n amlwg ei fod e ar ei orau ar hyn o bryd ac yn addo bod yn rhan bwysig o ddyfodol Morgannwg. Ma' Steve James a Roland Lefebvre hefyd wedi colli'u lle yn y tîm cynta, ac ma' 'na waith caled o fla'n y tri ohonon ni os ŷn ni'n mynd i chwarae rhan bwysig yng ngweddill y tymor. Ma' sawl aelod o'r Wasg wedi cyhoeddi fod tymor Morgannwg drosodd yn barod. Maen nhw wedi anghofio fod 'na 33 diwrnod arall o griced o flaen y tîm cynta ar ôl heddiw. Fe gollodd Gwlad yr Haf eu pedair gêm gynta yn y bencampwriaeth ond maen nhw wedi ennill pump o'u chwe gêm ddiwetha. Galle Morgannwg wneud rhywbeth tebyg a dringo o waelod y tabl. Os gallwn ni ennill gweddill gêmau'r Sul, fe allen ni orffen yn y pedwar neu bump ucha yn y gystadleuaeth honno hefyd.

Dydd Sadwrn, 30ain o Orffennaf

Am bod nifer o'r chwaraewyr ifanc ac aelodau'r ail dîm wedi'u cofrestru gyda chlybiau lleol ledled De Cymru, rhaid i mi fod yn eilydd yn San Helen am y dydd. Dim cyfle i bysgota ond gorfod gweithio fel gwas bach, yn cario diod allan i'r batwyr a'r maeswyr fel bo angen. Mae'n anodd dygymod â gorfod gwneud gwaith israddol sy mor angenrheidiol, yn arbennig os bydd y tywydd yn dwym. Does gan yr eilydd ddim hawl i fatio nac i fowlio ond fe gaiff e faesu os bydd aelod o'i dîm wedi'i anafu. Gwaith digon diflas yw gwylio gweddill y tîm yn paratoi a'r eilydd druan yn gorfod aros yn y pafiliwn. Yna rhaid gwylio'r chwarae trwy'r amser rhag ofn fod angen rhywbeth ar aelod o'r tîm ar y cae. Os caf gyfle i faesu o gwbl, 'na'r unig ffordd y caf gyfle i ddal llygad y capten i geisio adennill lle yn y tîm cynta.

Yn y pen draw, rown i'n falch bod yn Abertawe i weld Cotts yn rhoi coten i fowlwyr Gwlad yr Haf! Batio anghredadwy gan fy nghyd-bysgotwr, yn sgorio'i gyfanswm mwya erioed, 191. Cyn troi at griced amser llawn, roedd Anthony'n aelod o staff y Swans draw ar gae'r Vetch. 'Na lle dysgodd e gadw'r bêl ar y llawr ac roedd hynny'n bwysig iawn i Forgannwg heddi wrth i'w ddull e fod yn hollol wahanol i ddull Ottis Gibson. Doedd Cotts ddim wedi sgorio mwy na 156 o'r bla'n ac roedd hi'n ardderchog ei weld yn taro 28 pedwar ac un chwech. Hon oedd nawfed cant ei yrfa ac efalle'r pwysica a'r gore hyd yn hyn. Yn gyferbyniad llwyr, fel arfer, 'na ble'r oedd Gibson yn clatsio'i ffordd i sgôr o 81. Fe ddilynodd Ottis ei fowlio gore i ni (5-79) gyda'i sgôr ucha'n cynnwys pum 6 a phum 4! Ma' pethe wedi bod yn anodd i Ottis a phawb yn disgwyl gwyrthie ganddo gan ei fod yn dilyn Viv Richards fel chwaraewr tramor Morgannwg. Erbyn hyn, ma' pawb yn sylweddoli bod isie tamed bach o amser iddo gyrraedd safon 'rhen Viv, ond mae e'n dechre talu Morgannwg yn ôl am ymddiried ynddo fe.

Roedd ystadegau'n batiad cyfan yn ddiddorol ac yn gyferbyniad llwyr i fatio'r ymwelwyr. Fe sgorion ni 300 mewn 76 pelawd, yr un nifer ag y cymerodd Gwlad yr Haf i gyrraedd 140. Er bod llawer yn meddwl mai'u bowliwr nhw o'r Iseldiroedd, Adrianus van Troost, yw'r cyflyma o'r to ifanc sy'n cychwyn ar eu gyrfa broffesiynol, fe gafodd e grasfa fawr heddi fel ma'i grynodeb (3-172 oddi ar 29 pelawd!) yn dangos. 'Na'r cyfanswm mwya i fowliwr ollwng yn erbyn Morgannwg mewn un batiad a pherfformiad gwaetha bowliwr o Wlad yr Haf ers 88 mlynedd!

Gyda help effeithiol Phelps, Barwick a Watkin aeth Cottey â'n sgôr i 533. Cawsom enghraifft wych o fatiwr da'n sgorio'n rhydd gan adael i'w gyfeillion amddiffyn ar un pen i'r llain. Chipiodd neb wiced Watty ond sgoriodd e ddim ond un ar ddeg o'r 77 yn ei bartneriaeth gyda Cotts. Trueni fod y blinder wedi cadw'r un byr yn brin o'i 200 cynta. 'Ma'r tro cynta i Forgannwg basio 500 yn Abertawe ers yr Ail Ryfel Byd ac fe ddaliodd Gibson at ei waith da heno trwy gipio dwy wiced yn rhad. Mae'n amlwg bod yr ymwelwyr am fatio'n araf iawn eto. Beth bynnag fydd canlyniad y gêm yn y pen draw, heb os, Morgannwg sy wedi rhoi'r difyrrwch i'r dorf. Ma' hyn, wrth gwrs, yn dangos elfen ryfeddol iawn am griced. Er bod ein cefnogwyr wedi mwynhau'r chwarae heddiw, a fyddan nhw'n hapus os byddwn ni'n colli ddydd Llun?

Dydd Sul, 31ain o Orffennaf

Odw, rwy'n chwarae heddi! Tywydd gweddol o ddiflas ac felly dim ond 24 pelawd yr un yn unig. Trueni am hyn am fod nifer o gefnogwyr yma ar eu ffordd i'r Eisteddfod Genedlaethol yng Nglyn-nedd. Siom fawr nad oedd hi'n gêm lawn, ond yn y diwedd fe gawson ni ddiwrnod digon difyr. Gwlad yr Haf i gyd allan am

107 mewn 23.4 pelawd ac yn rhoi nod digon cyfforddus i ni anelu ato. Dwy wiced i fi, dau ddaliad gwych i Maynard, ei ddwy wiced gynta i Gary, un o feibion ein cyn-gapten, Alan Butcher, a dwy wiced hefyd i Steve a Margaret Barwick ddathlu geni'u trydydd plentyn ddoe!

Tîm ifanc, arbrofol yn chwarae i'r ymwelwyr a Morris a Dale yn dechre'n gyflym i ni. Maynard a Cottey'n mynd yn rhad a Hemp yn cyrraedd ei sgôr ucha ar y Sul (35) cyn i fi ymuno â Gibson ar 85 am 5 wiced. Fe drawes i ddau 4 ar unwaith ac roedd 'da ni wyth pelen ar ôl i sgorio 5. Clatsien arall gan Ottis yn llamu dros y wal a'r gŵr o'r Caribî'n meddwl ei fod wedi ennill y gêm â 6. Wedi iddo ysgwyd dwylo â nifer o'r ymwelwyr, galwyd e'n ôl i wynebu pêl arall. Tro 'ma, roedd y bêl ar y ffordd i'r ffin pan redodd crwt bach i'r cae i faesu! Doedd dim pwynt cwyno wrth i ni hawlio'r pwyntiau.

Anodd iawn heno, wrth i fi adael cae San Helen, oedd ffarwelio â'r tîm. Fory rwy'n gorfod teithio i Lundain i chwarae i'r Ail Dîm yn yr Oval yn erbyn Surrey. Dyw cymryd cam yn ôl byth yn rhywbeth rhwydd a ma' gwybod y galle'r Tîm Cynta ennill yn Abertawe yn gwneud pethe'n llawer gwaeth.

Dydd Llun, 1af o Awst

Gartre yn y bore'n paratoi i deithio i Lundain yn y prynhawn ac yn dilyn yr hanes o San Helen ar y newyddion a CEEFAX nawr ac yn y man. Newyddion gweddol ar y dechre er i'r crwt ifanc, Marcus Trescothick, sgorio 115 a Hayhurst 65. Gibson yn cipio 6 wiced am 80 i wella ar ei berfformiad yn eu batiad cynta nhw. Cyfanswm o 11-159 iddo'n rhoi cyfle gwych i Forgannwg gael buddugoliaeth ysgubol a rhyfeddol. Angen 142 mewn 22 pelawd ac felly bydd rhaid clatsio fel mewn gêm undydd neu benderfynu chwarae am gêm ddiganlyniad. Erbyn i Forgannwg ddechre batio, rown i yn y car ar yr M4 gyda hyfforddwr yr Ail Dîm, John Derrick. Y ddau ohonon ni ar bigau drain yn clywed fod wicedi Morgannwg yn cwmpo fel pys. 61 am 7 'da chwe phelawd yn weddill! Diolch byth fod Stuart Phelps a Colin Metson wedi aros yno a symud y cyfanswm mla'n i 84 i roi diwedd gweddol barchus ar bethe! Wrth glywed ar radio'r car am yr holl gyffro, sa i'n gwbod ffordd oedd John yn llwyddo i yrru'n iawn, ond do, fe gyrhaeddon ni Lundain yn iawn.

Dydd Mawrth, 2ail o Awst

'Nôl i'r Oval, lle chwaraeais fy ngêm gynta i'r Tîm Cynta ym 1989. Atgofion melys felly, er i ni golli yn Nhlws B&H ar ddechre'r tymor hwn. Cae sy 'di newid a'i foderneiddio yn y pum mlynedd diwetha ac yn stadiwm griced wych, yn cystadlu â Lord's ar draws Afon Tafwys. Diwrnod gwych i Forgannwg ac i fi a Steve James (un arall sy 'di colli'i le yn y Tîm Cynta). 80 i Steve ac 88 i fi wrth i ni gyrraedd cyfanswm o 360 am 7 wiced. Fe ddylwn fod wedi cyrraedd cant, ond roedd rhaid cyflymu'r sgorio ac, i raddau, aberthu wicedi wrth wneud hynny. Rhaid cyfadde 'mod i'n fwy nerfus nag erioed o'r bla'n yn cerdded mas i fatio heddi. Roeddwn yn gwbod fod gweddill y tymor yn dibynnu ar berfformio'n ddigon da. Yn anffodus, fe gawson ni'n hatgoffa ar ddiwrnod twym pa mor beryglus yw criced. Bu rhaid i Andrew Roseberry adael y cae wrth i un o'u bowlwyr cyflym nhw'i daro fe mewn man anghyfforddus iawn. Fe dorrwyd ei focs ("amddiffynnydd" neu "gwarchodydd" falle yn Gymraeg?) a doedd e ddim yn hapus o gwbwl! Gobeithio y bydd e'n well fory.

Dydd Mercher, 3ydd o Awst

Owen Parkin a Darren Thomas, dau o fowlwyr cyflym y dyfodol i Forgannwg, yn dechrau'n addawol ac Owen yn cipio wiced Martin Bicknell (coes-o-flaen-wiced) yn weddol gynnar. Bicknell wedi chwarae i'r tîm rhyngwladol ac (fel ei frawd, Darren) yn ffrind arall o'r daith i'r Caribî ym 1992, yn agor y batio a'r bowlio i Surrey yn y gêm hon. Mae'n edrych fel na fydd Parkin ac Adrian Shaw, ein wicedwr yma, 'da ni fory am fod Colin Metson wedi torri bys a Steve Watkin wedi anafu'i gefn. Ma'r Tim Cynta'n chwarae yn Lord's fory ac mae angen Parkin a Shaw draw yno.

Ces i gychwyn diddorol yn erbyn Monty Lynch, sy 'di colli diddordeb yn Surrey nawr am ei fod 'di clywed ei fod e'n cael mynd ar ddiwedd y tymor. Fe drawodd e fi am 14 oddi ar y pedair pelen gynta ac wedyn fe fowlies i e! Yn ystod y dydd, fe gipies i un wiced arall ac fe gaeon nhw'u batiad yn 300 am 7. Roedd y Prif Weinidog, John Major, yma am ddwyawr yn gwylio'r chwarae bore 'ma ac roedd 'na waith ychwanegol i blismon neu ddau wrth i stori sgubo'r cae fod 'na fom wedi'i adael yn rhywle! Dim bom, wrth gwrs, ond roedd 'na dipyn o dân gwyllt wrth i'r brodyr Gary a Mark Butcher chwarae yn erbyn ei gilydd. Erbyn i ni orffen chwarae roedd ein sgôr o 60 am 2 yn addo trydydd diwrnod diddorol.

Dydd Iau, 4ydd o Awst

Yn anffodus, fe gyrhaeddodd y glaw o Lyn-nedd i'n gwlychu amser cinio a dyna ddiwedd ar obeithion pawb i greu argraff dda. Roedd hi'n anghyfforddus yn teithio adre i Gymru a gwybod fod y Tîm Cynta'n aros yn Llundain ar ddechrau'r gêm yn erbyn Middlesex, tîm oedd yn cynnwys Mike Gatting, John Emburey a Desmond Haynes. Rown i wedi cael gwahoddiad i fynd ddoe i'r Eisteddfod Genedlaethol, ond roedd colli fy lle yn y Tîm Cynta wedi golygu 'mod i ddau gan milltir bant. Glywes i fod Watty a Cottey (odl dda i'r beirdd sy'n mwynhau criced, falle!) wedi bod ar y Maes ond eu bod nhw wedi gorfod cynnal sesiwn ymarfer i'r plant o dan do yn ystod un o'r cawodydd tryma. Ma'r wthnos 'di ca'l 'i throi'n bendramwnwgl i fi nawr, ond ma' gwahoddiad 'da fi i fynd i'r Eisteddfod ddydd Sadwrn. Fe licen i fynd, ond ma' nifer o bethe 'da fi i'w gwneud ac ma'n rhaid mynd yn ôl i Lundain bnawn dydd Sadwrn ar gyfer gêm

dydd Sul! Gan 'y mod i wedi dod yn ôl o Lundain ar ôl
i'r Tîm Cynta gyrraedd Lord's, ma' sawl neges 'da fi
i'w gwneud cyn mynd yn ôl atyn nhw.

Dydd Gwener a Dydd Sadwrn,
5ed a 6ed o Awst

Dim ond clywed am y gêm yn Lord's trwy gyfryngau
ail law 'wnes i, ond mae'n amlwg fod 'na ddiweddglo
diddorol o'u bla'n nhw. Nos Iau, ar ôl colli hanner y
dydd i'r glaw, roedd Middlesex yn 207 am 6 a chyn-
gapten y tîm rhyngwladol, Mike Gatting, wedi cael ei
redeg mas ar ôl te am 73 gan Stuart Phelps. Dim glaw
yn Llundain dydd Gwener a chyfle i Forgannwg sgorio
273 am 8 yn ateb i 267 Middlesex. Ottis Gibson yn
arwr unwaith eto'n sgorio 70, y pedwerydd tro iddo
basio'r hanner cant mewn chwe batiad! Rown i'n
meddwl taw bowliwr o'dd e!

Yn y diwedd, methu â chyrraedd Maes yr Eistedd-
fod ond clywed am y gweithgareddau yno gan Steve
Watkin wrth i'r ddau ohonon ni deithio i Lundain 'da'n
gilydd. Gwrando ar y rhaglenni chwaraeon ar y radio
ar y daith 'fyd a chlywed bod Desmond Haynes (134)
a John Carr (78h.f.a.) wedi helpu Middlesex i gyrraedd
368 am 4 erbyn y diwedd nos Sadwrn. Ma'r llain wedi
gwella, yn ôl y sôn, ac ma' Middlesex ar y bla'n o 350
ar hyn o bryd.

Dydd Sul, 7fed o Awst

Cyfle arall ar y Sul i Roland Lefebvre a fi geisio ennill ein lle yn ôl yn y Tîm Cynta. Cyfle hefyd i chwarae am yr eildro eleni ar lwyfan gore'r byd ac i flasu bwyd Nancy! Cyfle anffodus hefyd, wrth faesu, i orfod rhedeg i lawr ac i fyny'r rhiw sy'n codi rhwng saith ac wyth troedfedd o un ochr i'r cae i'r llall. Diolch byth nad yw Desmond Haynes yn chwarae heddiw. Mae'n sail i fatio Middlesex ac India'r Gorllewin ers dros ddegawd, ond fel llawer o'n hymwelwyr tramor mae'n gorffwys ar y Sul yr adeg yma o'r flwyddyn os nad oes rhyw wobr ar y gweill.

Hugh yn cael y dewis a chychwyn da i ni wrth iddyn nhw golli wicedi'n gyson: ar 5, 13, 25, 35 a 71. Fe dwylles i Mark Ramprakash â'm hail belen a'i ddal coes-o-flaen wrth sgubo. Mike Gatting, eu capten a chyn-gapten y tîm rhyngwladol, oedd wedi rhoi cyfle i rai o'i fatwyr ifanc, yn gorfod ymuno yn yr ornest yn hwyr i geisio troi pethe'n ôl iddyn nhw. Roedd yr hen lwynog yn rhy gyfrwys i ni'r tro 'ma, ac ychwanegodd 79 gyda Keith Brown, a'u batiad yn cau ar 150 am bum wiced. Nod o fewn cyrraedd a'r dorf yn llawn o Gymry yma i'n cefnogi i'r carn.

Arwr y dydd, heb os, oedd David Hemp, yn sgorio 73 cyn i Kevin Shine ei fowlio â phêl arbennig o dda, pêl a fyddai wedi llorio coed y goreuon. Dyblu'i sgôr ore ar y Sul ac, am unwaith, chwarae'r rhan flaenllaw mewn partneriaeth o 97 gyda Maynard (38h.f.a.). Buddugoliaeth ysgubol i Forgannwg o saith wiced a dwy bêl ar bymtheg yn weddill. Y daith yn ôl i Dde Cymru'n debyg i'r noson 'nôl ym mis Ebrill pan oedd y Swans wedi ennill yn Wembley. Nifer o gefnogwyr Morgannwg yn nabod y car a Watty a finne'n ceisio bod yn gwrtais a chwifio'n ôl ar bawb. Y gwahaniaeth mawr rhwng Ebrill ac Awst, wrth gwrs, yw 'mod i'n mynd i chwarae dros Ail Dîm Morgannwg fory. Tipyn o wahaniaeth rhwng hyn a chwarae dros y Tîm "A" rhyngwladol.

Dydd Llun, 8fed o Awst

Cyrraedd Gerddi Sophia'n flinedig iawn ar ôl yr holl deithio dros y dyddiau diwetha. Trueni na fyddwn wedi gallu aros yng Nghaerdydd neithiwr. Sussex yn cael y dewis ac yn penderfynu batio. Dim egwyl i fi gael gorffwys y bore 'ma, ond mas i faesu ar unwaith. Nid maesu'n unig chwaith, ond gorfod bowlio 41 pelawd oherwydd anafiadau i Bastien a Butcher. Pedair wiced am 126 i fi'n wobr am yr holl ymdrech, ond Sussex yn cyrraedd 415 am 8 wiced. Tîm ifanc iawn 'da ni o'i gymharu â Sussex; e.e. David Smith, eu capten nhw'n chwarae'i gêm gynta dros Surrey (Sussex yw ei drydydd clwb) flwyddyn a hanner cyn i Darren Thomas o Lanelli gael ei eni. Darren, sy'n edrych yn debyg i Eric Cantona, yn gwneud tipyn o waith heddiw 'fyd heb gymaint o lwyddiant.

Dydd Mawrth, 9fed o Awst

Clywed ychydig o hanes y Tîm Cynta'n colli yn Lord's ddoe eto. Fe fydde llawer o bobol yn meddwl y byddwn i, Steve James a Roland Lefebvre yn falch clywed hynny i roi cyfle i ni'n tri ailennill ein lle yn y tîm. Na, ma' gweld Morgannwg yn ennill yn bwysicach i fi ac rown i'n siomedig clywed yr hanes gan un neu ddau oedd yn Lord's. Beth bynnag am hynny, rhaid i ni fatio mla'n. Andrew Roseberry a James Williams yn batio'n dda ac fe gyfrannes i'n agos at hanner cant at y cyfanswm o 330 i greu sefyllfa ddiddorol ar gyfer y trydydd diwrnod fory.

Dyw Lefebvre ddim yn chwarae am ei fod e'n paratoi i briodi yma yng Nghaerdydd ddydd Gwener. Ma'i deulu'n dod o'r Iseldiroedd a theulu Sandy'n dod o Dde Affrica ac felly ma'r trefniadau a'r cyflwyno'n cymryd ei amser e i gyd. Wythnos o wyliau'n golygu na fydd hi'n rhwydd iddo fe ymladd ei ffordd yn ôl i'r Tîm Cynta.

Dydd Mercher, 10fed o Awst

Rhagolygon neithiwr yn addo glaw heddi ac roedden nhw'n gywir. Dim chwarae o gwbl, ond pawb yn hapus ar gael ychydig o ymarfer dros ddeuddydd. Clywed cyn mynd adre 'mod i'n chwarae yn erbyn yr ymwelwyr o Dde Affrica ym Mhontypridd dros y penwythnos. Cyfle i ailafael yn 'y ngyrfa. Pawb gartre'n deall yn iawn wrth i fi gerdded trwy'r drws. Doedd dim isie dweud gair.

Dydd Sadwrn, 13eg o Awst

Tywydd braf, heulog ym Mhontypridd i groesawu De Affrica i Gymru am y tro cynta ers chwarter canrif. Y croeso gan y Cyngor lleol a nifer o noddwyr yn cael ei adlewyrchu gan y dorf fawr sydd ym Mharc Ynys Angharad mewn pryd i weld dechrau'r gêm. Hugh Morris yn cymryd egwyl a Matthew Maynard yn gapten ac yn dewis batio gynta.

David Hemp wrth ei fodd yn sgorio cant arall a chefnogaeth Cottey (84) ac Alistair Dalton (51) yn rhoi cyfle i Matt gau'n batiad ar 337 am 5 wiced. Gibson a Watkin yn cipio wiced yr un yn y chwarter awr o fatio iddyn nhw ar ddiwedd y dydd. Pawb ohonon ni a'n cefnogwyr wedi mwynhau'r diwrnod a nifer o bobl yn dod draw ata i i ddweud eu bod nhw'n falch i 'ngweld yn ôl yn y Tîm Cynta. Cyfle i fi, hefyd, gael sgwrs ar Radio Cymru gyda Alun Jenkins a threulio tipyn o amser yn llofnodi rhaglenni a llyfrau criced i gefnogwyr di-rif. Diwrnod hapus iawn i fi er na wnes i lawer o waith!

Dydd Sul, 14eg o Awst

Y cae'n orlawn heddiw eto a nifer o sêr Cymru y byd chwaraeon ym Mhontypridd i fwynhau'r haul a'r criced. Wedi'n llwyddiant â'r bêl neithiwr, siom fawr wrth i Snell (94) a Cronje (78) ein rhwystro trwy'r bore. Diolch i faesu gwych James (yn dal Snell) a Maynard (yn stwmpio Cronje), fe gipies wiced y ddau ohonyn nhw ond fe sgoriwyd 102 oddi ar 'y mowlio. Maynard yn gorfod gwisgo'r menig am fod Adrian Shaw yn yr ysbyty wedi colli dau ddant pan own i'n bowlio at gapten yr ymwelwyr, Kepler Wessels. Pan weles i'r ffilm ar y teledu'n nes ymla'n roedd hi'n rhyfedd gweld y dannedd yn hedfan o geg Shaw. Pan edrychodd y dyfarnwyr ar y bêl roedd 'na ôl dant arni ac felly doedd 'da'r batwyr ddim hawl i gwyno'n bod ni wedi gwneud niwed i'r bêl! Dwy wiced hefyd i Parkin wrth i'r ymwelwyr gau'u batiad ar 288 am 6 a Wessels ar 45 heb fod allan.

James allan heb sgorio yn ein hail fatiad ni a'n sgôr erbyn y diwedd yn 80 am 4 wiced. Matthew'n dal yno ar 30 ac yn gobeithio sgorio'n gyflym fory i roi nod teg i Wessels a'i fechgyn anelu ato. Yn anffodus, mae'n debyg y bydd e'n awyddus gweld un neu ddau o'i fatwyr yn cael ymarfer yn hytrach nag yn anelu at ennill, ond y peth cynta i ni fydd ychwanegu at y 129 rŷn ni o'u bla'n nhw nawr.

Dydd Llun, 15fed o Awst
(Croft: 27 h.f.a.)

Cant gwych i Maynard a Cottey (28), Dalton (16) a fi (27) yn symud y sgôr mla'n at 222 am 9 wiced. Pawb yn aberthu'u wicedi wrth geisio cyflymu'r sgorio ac er i Matthew wneud 'i ore glas i osod nod o 300 erbyn amser cinio, doedd dim digon 'da ni mewn pryd a bu raid batio mla'n am ychydig ar ôl cinio. Dyw Maynard ddim wedi cael tymor da yn ôl ei safon uchel e'i hunan, ond mae'n amlwg yn cael blas ar chwarae yn erbyn ymwelwyr tramor, gan gynnwys yr Awstraliaid y llynedd yng Nghastell-nedd. Heddiw, fe symudodd e mla'n o 89 i 101 gan daro Snell i'r ffin deirgwaith yn olynol. Yn anffodus iddo fe ac i Forgannwg fe ddaliodd Cronjie fe allan 'da'r belen nesa a bu raid i'r gweddill ohonon ni geisio'i efelychu. Er i ni lwyddo i raddau, does dim gwell golygfa na'i weld e'n chwarae fel nath e heddiw.

Nod felly o 272 mewn 58 pelawd a thorf dda'n barod am wledd o fatio gan rai o sêr Tîm Prawf De Affrica. Yn anffodus ma' un o fatwyr yr ymwelwyr, Andrew Hudson, wedi methu'n gyson yn ddiweddar ac mae'i gapten, Wessels, naill ai isie'i weld e'n llwyddo neu'n rhoi cyfle i rywun arall adeiladu sgôr sylweddol. Fe gipies i wiced Hudson heddi am 23 o rediadau, diolch i ddaliad gwych ar y ffin gan Adrian Dale, ac yna fe drawodd Gibson ddwywaith i wneud y sgôr yn 86 am 3 wiced. A 'na ddiwedd ar elfen gystadleuol y gêm. Daeth Darryl Cullinan (a fu unwaith bron ymuno â Morgannwg) i fatio gyda Gary Kirsten a'u hunig nod oedd amddiffyn eu wicedi. Gan fod 'na Gêm Brawf yn dechre dydd Iau, roedd hi'n bwysig fod un neu ddau fatiwr yn ymarfer mewn sefyllfa gystadleuol. Yn y pen draw, cytunwyd, hanner awr yn gynnar, ar gêm ddiganlyniad. Erbyn hynny, a Kirsten ar 76 a Cullinan ar 29 roedd Mike Proctor, hyfforddwr De Affrica, wedi gweld digon ac yn awyddus i deithio i Lundain yn gynnar i baratoi ar gyfer y Prawf. Siom i'r gwylwyr ac i'r noddwyr a dim cyfle i ni gystadlu am y £4,000 o wobr sy ar gael i bob sir sy'n curo'r ymwelwyr.

Y peth pwysica o'm rhan i oedd 'mod i'n ôl yn y Tîm Cynta ac wedi chwarae'n ddigon da i gadw fy lle ar gyfer y daith i Hartlepool i chwarae yn erbyn Durham ddydd Iau. Ar ôl cael croeso mawr yn Ne Affrica am ddeufis y gaea diwetha roedd hi'n wych cael cyfle i groesawu'r ymwelwyr i le mor Gymreig â Pharc Ynys Angharad ac roedd hi'n amlwg eu bod nhw wedi mwynhau dod i Gymru. Rwy i nawr wedi bod yn ddigon ffodus i chwarae dros Forgannwg yn erbyn pob un o'r timau rhyngwladol sy'n chwarae criced. Gan fy mod wedi bod yn y Caribî a De Affrica, fy ngobaith mawr yw y caf gyfle ryw ddiwrnod i fynd i India, Pakistan, Sri Lanka, Awstralia a Seland Newydd. Ma' criced wedi bod yn dda i fi hyd yn hyn, a gobeithio y caf gyfleoedd eraill eto.

Dydd Mercher, 17eg o Awst

Cwrdd yng Nghaerdydd yn y bore i ymarfer yn y rhwydi. Pawb yn awyddus cael heddiw drosodd a chlywed pwy sy'n chwarae fory. Tri ar ddeg ohonon ni'n teithio bron i ben pella Lloegr. Pum awr yn y car a phawb yn cwyno ar ôl cyrraedd y gwesty yn Hartlepool. Dim llawer o gymdeithasu heno a phawb yn barod am wely cynnar.

Dydd Iau, 18fed o Awst
(Croft: d Scott b Brown 22/14-3-40-2)

Rhywfaint o ymarfer corff i ymlacio ac ystwytho'r corff cyn clywed 'mod i'n bendant **yn** chwarae. Peth diflas iawn yw teithio mor bell â hyn jyst i fod yn eilydd. Hugh Morris yn gofyn i'w ddirprwy, Matthew Maynard, geisio newid ein lwc gyda'r dewis, ond yr un hen stori eto a Phil Bainbridge yn gofyn i ni fatio gynta ar lain sydd a thipyn o ddŵr ynddi. Tactegau gwahanol gan y ddau gapten wrth i Durham ddewis bowlwyr cyflym yn unig a Hugh yn dewis Barwick a fi'n droellwyr.

Batiad digon siomedig i ni wrth i'n prif fatwyr i gyd fethu. Pawb yn dechre'n addawol, ond dim ond Dale (17) o'n batwyr cynnar yn pasio deg. Ar 77 am 6 roedd pethe'n edrych yn drist iawn arnon ni, ond fe lwyddes i gadw cwmni i Gibson a symud y sgôr mla'n i 136 cyn i'w wicedwr nhw, Chris Scott, 'y nal i oddi ar fowlio Simon Brown am 22. Gan taw Gibson (46) a Metson (40h.f.a.) oedd yr unig ddau i sgorio mwy na fi, roedd 'y nghyfraniad yn un pwysig wrth i ni gyrraedd 206.

Roedd pethe'n mynd o ddrwg i waeth i ni tra oedd Longley a John Morris yn batio. 152 am 2 wiced a'r gêm, i bob pwrpas, wedi'i cholli'n barod. Anafodd Gibson ei gefn wrth fatio a bu raid i Dale agor y bowlio. Er i'w bowlwyr cyflym nhw lwyddo, doedd 'na ddim lwc i Watkin a Dale. Fe gipies i wicedi Longley a Morris cyn y diwedd a thwyllodd Barwick Saxelby a Daley. Doedd 155 am 4 ddim cweit mor ddrwg a bydd hi'n ddiwrnod gwell fory os bydd y bêl yn dal i droi.

Dydd Gwener, 19eg o Awst
(Croft: 29-6-76-4/d Hutton b Wood 53)

O'r diwedd! Diwrnod y galla i edrych yn ôl arno â balchder. Dwy wiced arall i fi wrth i ni lwyddo i gyfyngu Durham i 230, dim ond ar y bla'n o 26 ar ôl addo'n chwalu ni'n yfflon. Oni bai am Brown yn sgorio 33, fe fydden ni wedi bod ar y bla'n ar ddiwedd y batiad cynta.

Matthew Maynard yn disgleirio yn ein hail fatiad ac yn sgorio 71 i'n hanelu i'r cyfeiriad iawn. Yn anffodus iddo fe ac i'w dîm, Hugh yn methu eto a Hemp (25), Dale (17) a Dalton (29) yn addo llawer ond yn cyflawni ychydig. Cotts yn cyfrannu 40 ac yna cyfle i fi gyrraedd hanner cant am y tro cynta eleni. Tipyn o help i fi gan Metson (21), ond yna cael 'y nal yn wych gan yr ail slip wrth geisio arbed Barwick ar y diwedd. Angen 259 arnyn nhw i ennill a Watty'n twyllo Longley cyn y diwedd. Fe ddylen ni fod wedi gwneud yn well, ond ma' 'da ni gyfle gweddol fory – os gallwn ni gipio wiced John Morris, cyn-chwaraewr Derby a Lloegr.

Dydd Sadwrn, 20fed o Awst
(Croft: 14.5-1-48-0)

Dechrau gwych wrth i Gibson a Metson gyfuno i anfon Brown yn ôl i'r pafiliwn gan roi cyfle i ni fowlio'n gynnar yn y dydd at John Morris. Morris, wrth gwrs, yn enwog am ei daith isel mewn awyren gyda David Gower dros gae lle'r oedd yr MCC yn chwarae yn Awstralia. Yn enwog heddiw am ennill y gêm i'w sir newydd. Ottis Gibson yn ymdrechu'n fwy na neb ac yn cyrraedd uchafbwynt personol arall wrth gipio tair wiced oddi ar bedair pelen. Ar unrhyw ddiwrnod arall fe fyddai crynodeb o 20-2-88-6 yn sylfaen i weddill ei dîm adeiladu arno ac i sicrhau buddugoliaeth sgubol. Heddiw, fodd bynnag, tra oedd Ottis yn cyflawni'i addewidion o ddechre'r tymor, doedd neb ohonon ni'n ddigon da i gipio'r un wiced arall. Pan newidiodd y sgôr o 98 am 2 wiced i 100 am 5, roedd pob un ohonon ni ar bigau drain wrth ddechrau credu mai'n diwrnod ni oedd hwn. John Morris oedd y broblem, a Stewart Hutton yn ei helpu i symud mla'n at 194 am 6. A Hutton mas bryd hynny, roedd y drws wedi'i gilagor i ni eto. Collodd Hemp gyfle rhwydd i ddal Morris pan oedd e ar 81 a 'na ddiwedd ar bethau i ni. 'Dw i byth am gwyno am fethiant aelod arall o'r tîm (wedi'r cyfan, falle taw arna i fydd y bai am rywbeth tebyg fory), ond roedd methiant Hemp yn allweddol wrth i Morris gyrraedd 123 ac arwain Durham at fuddugoliaeth o dair wiced. Er iddyn nhw golli saith gêm yn olynol cyn hon, ma' 'da nhw 140 o bwyntiau yn y bencampwriaeth o'i gymharu â'n 79 ni. Gwaetha'r modd, ni sy'n aros ar waelod y tabl a does dim llawer o amser ar ôl i ni wella ar bethe nawr.

Hen, hen stori erbyn hyn eleni. Mor agos ond eto mor bell. Pawb yn siomedig iawn ar ôl i ni addo cymaint i'r nifer rhyfeddol o'n cefnogwyr sy wedi teithio'r holl ffordd yma i Swydd Durham. Clwb yr Orielwyr wedi sylweddoli'n ddigon cynnar ddoe na fydd 'na chwarae ddydd Llun. Doedd ond un ateb. Maen nhw wedi trefnu ymweliad â bragdy lan ffor' hyn fore dydd Llun i lenwi'u hamser sbâr. Rhaid difyrru'u hunain mewn rhyw ffordd neu'i gilydd!

Dydd Sul, 21ain o Awst
(Croft: 8-0-42-1)

Hugh Morris a Steve Watkin allan o'r gêm undydd oherwydd anafiadau a galwad ffôn ddoe i Steve James i agor y batio. Doedd Jamo ddim yma yn y garfan ac roedd e'n edrych mla'n at gêm fory gyda'r Ail Dîm yn Sittingbourne, Swydd Gaint. Mae e'n gweld ei hunan yn well chwaraewr yn y bencampwriaeth nag yn y gêmau undydd a'i uchelgais, yn ddi-os, yw ennill ei le yn y Tîm Cynta ar gyfer y gêmau pedwar diwrnod. Doedd gan neb hawl i gwyno am ei chwarae heddiw ac mae Steve ei hun yn wên o glust i glust ar ôl sgorio 102 cyn cael ei redeg mas. Ei redeg cyflym oedd sail ei fatio ac fe gafodd gymorth gan Cottey (66 h.f.a. oddi ar 45 pelen yn unig), Maynard (27), Hemp (18) a Dale (16) wrth i ni gyrraedd 241 am 4 wiced. Doedd dim isie i fi fatio ar ôl cystal perfformiad ac roedd pawb yn edrych mla'n yn eiddgar at weld y tîm cartre'n pupuro'r ffiniau agos ar gae gweddol o fach.

Un arall sydd wedi cael galwad lan 'ma o Gaerdydd ar rybudd byr yw Roland Lefebvre a'i dro fe oedd hi ar ôl te i chwarae ail ran y ddeuawd. Dwy wiced iddo (gan gynnwys John Morris heb sgorio!) yn gynnar iawn a dwy arall yn hwyrach i roi crynodeb gwych o 8-0-23-4. Rhyfeddod mwya'n bowlio ni oedd i Barwick ildio 57 rhediad oddi ar ei fowlio, ond fe gipiodd e dair wiced i wneud cyfraniad pwysig. Dau brif gyfraniad i Durham gan Daley (54 cyn i fi'i dwyllo, coes-o-flaen) a Cummins (66), ond dim ond llwyddo i gyrraedd 222 oedd eu ffawd nhw. Pedwar pwynt pwysig yn ein codi i'r chweched safle yng nghynghrair y Sul. Lefebvre a James yn gwenu ar ei gilydd heno wrth wibio i lawr ochr ddwyreiniol Lloegr i'w gêm yn Sittingbourne. Y gweddill ohonon ni'n lled-hapus wrth ddychwelyd i Gymru i geisio ennill gêm neu ddwy yn y bencampwriaeth cyn diwedd y tymor.

Dydd Llun, Dydd Mawrth a Dydd Mercher, 22ain, 23ain a 24ain o Awst

Ar ôl y daith hir yn ôl i'r Hendy neithiwr, fe ges i gysgu mla'n heddi. Dim ymarfer na physgota am unwaith ac felly diwrnod i roi 'nhra'd lan oedd i fod ddydd Llun. Yn anffodus, roedd 'na un neu ddau beth ar ôl i'w trefnu ynglŷn â'r briodas ac roedd Marie wrth y drws cyn amser cinio'n gofyn i Mam a own i'n ca'l mynd mas! Ma' Mam a Marie'n deall ei gilydd i'r dim ac ymhen dim, roedd 'y niwrnod o gwsg wedi'i newid yn ddiwrnod o baratoi ar gyfer y briodas. Fe ges i gyfle dydd Mawrth i ddiflannu 'da Cotts am orie o bysgota yn rhywle tawel lle nad oedd neb yn siarad am griced na phriodas. Yr unig beth a 'niflasodd i oedd i Cotts yn ôl ei arfer eleni, ddal mwy na fi. Rhaid gwneud yn siŵr ym 1995 y bydd y pysgota a'r criced yn gwella. Os bydd hynny'n digwydd, fe fydd Marie, wrth gwrs, fel pob gwraig, yn hawlio'r clod! I Gaerdydd i'r rhwydi o dan lach Alan Jones ddydd Mercher. Odyn, rŷn ni'n haeddu pryd o dafod ond ma' pawb yn meddwl fod 'na allu yn y tîm i wneud yn llawer gwell ac i ennill gêm neu ddwy cyn diwedd y tymor. Amser a ddengys. (O ie, ma' Androw'n ceisio newid i fod yn fardd nawr ac mae e am i mi ddefnyddio ymadroddion fel 'na. Atebes i e gan ei atgoffa 'mod i'n gallu creu barddoniaeth 'da'r bêl neu 'da'r bat. Ei fusnes e yw'r farddoniaeth eiriol!)

Dydd Iau, 25ain o Awst
(Croft: c.o.f.w. b Millns 0)

Tîm Caerlŷr sydd â'r cyfle gorau i ddwyn y ben-campwriaeth o dan drwynau bechgyn Warwick. Maen nhw wedi cyrraedd gerddi Sophia'n llawn hyder eu bod nhw'n mynd i'n sgubo ni i'r naill ochor dros y penwythnos i gadw'r pwysau ar Brian Lara a'i ffrindie. Millns a Parsons yn bowlio'n dda i ddechre a chyn hir roedd Maynard, Hemp a Morris yn ôl yn y pafiliwn a'n sgôr ni ar 41 am dri. Bechgyn Caerlŷr wrth eu bodd ar y cae yn edrych mla'n at fatio rywbryd yn ystod y prynhawn. Dyw Adrian Dale ddim wedi ca'l tymor llwyddiannus o gwbwl, wedi torri bys a diodde sawl anaf arall, ond heddiw fe fatiodd e'n dda i sgorio 31 pan oedd pethe'n dywyll arnon ni. Pwy oedd ar ben pella'r llain i gadw cwmni iddo fe? Pwy arall eleni ond y dyn byr o Gorseinon! Ma' Cotts yn haeddu clod mawr am ei waith eleni a doedd ei 142 e heddiw'n ddim llai nag arwrol. Millns yw un o'r bowlwyr cyflyma a mwya ymosodol ar y gylchdaith ac ma' corff Cotts bach yn dyst o hynny heno: yn gleisiau i gyd. Heno mae'i gorff fel map lliwgar ac erbyn fory bydd 'na sawl mynydd wedi chwyddo arno. Ar ôl i Dale ei adael ar 103 am 4, gwelodd Cotts orymdaith o'i ffrindie'n dilyn Dale yn ôl i'r pafiliwn. Doedd 'da fi ddim gobaith yn erbyn pêl a gadwodd yn isel iawn a tharo 'mhigwrn. Wedi inni gyrraedd 149 am 7, fe welson ni bantomeim unigryw Morgannwg: "Y Ddau Gorrach"! Metson yn brasgamu (os gall rhywun mor fyr frasgamu?) at y llain ac yn sgorio 43 wrth helpu Cotts i symud y sgôr mla'n i 265. Heb gyfraniad Cotts, fe fydde breuddwyd gynnar Caerlŷr wedi'i gwireddu, ond yn y diwedd roedd ein cyfanswm o 295 oddi ar gan pelawd yn ddigon boddhaol. Saith pelawd wedi'u rhannu rhwng Gibson a Watkin ar ddiwedd y dydd heb lwyddiant yn addo penwythnos diddorol, diolch i Phillip Anthony Cottey.

Dydd Gwener, 26ain o Awst
(Croft: 21-6-40-0)

Cysgod byr ond sylweddol Cotts sy'n dal i lywio'r gêm bwysig hon. Heblaw am ddal Whitaker oddi ar fowlio Watty a thipyn o faesu gwych o'i safon uchel arferol, wnaeth e ddim llawer heddi. Does neb wedi batio gystal ag e ac wrth i'r gêm ddatblygu mae'n debyg y bydd ei fatiad ddoe'n allweddol.

Roedd capten Caerlŷr, Nigel Briers, wedi'i frifo ar ei ysgwydd gan Gibson neithiwr ac yn methu batio tan yn hwyr yn y dydd. Colled fawr, wrth gwrs, yn arbennig o sylweddoli mai dim ond Boon (74) a Robinson (86) a gyfrannodd yn ddigon da at eu cyfanswm o 244. Pan ddychwelodd Briers i gyfrannu 36 h.f.a. roedd hi'n amlwg y dylen ni gael y blaen ar y batiad cynta. Rhannwyd y wicedi rhwng Gibson (3-72), Watkin (3-58), Barwick (1-32) a Dale (5-2-7-2), ond siomedig oedd f'ymdrechion i 'da'r bêl. Blitz o fatiad gan Maynard cyn y diwedd (34 oddi ar 36 pêl ac yna mas) yn sail cyfanswm o 67 am 3 i ni erbyn diwedd y dydd a'n rhoi ni 118 ar y bla'n. Dw i ddim yn credu y bydd hi'n werth chweil i bobol dalu am weld y criced ddydd Llun. Fydd 'na ddim llawer!

Dydd Sadwrn, 27ain o Awst
(Croft: d Robinson b Wells 80/2-1-1-1)

Diwrnod i'w gofio wrth i ni wasgu a gwasgu ar Gaerlŷr. Ma' jyst rhestru'n batwyr ni'n dwyn atgofion melys:

Hemp (50), Metson (51), Cottey (43), Gibson (22), Butcher (41) ac RC (80). Er inni golli wicedi hwnt ac yma trwy'r dydd, roedd y sgôr yn symud mla'n a'r pwyse i gyd ar yr ymwelwyr. Doedd dim un o'u bowlwyr nhw'n trafferthu'r batwyr. Colli wicedi wrth glatsio oedd ein hanes ni. Roedd 'na gyfle da i fi sgorio cant ac rown i'n teimlo'n ddigon cyfforddus. Yn y diwedd, fe aberthes i'n wiced er lles y tîm. Pan gaeodd Hugh Morris ein batiad ar 360 am 9 wiced, cytunodd pawb fod ein tactegau wedi gweithio am unwaith.

Roedd y nod o 412 yn un anodd iawn pan gaeodd Hugh ein batiad ond roedd pethe'n edrych yn amhosib iddyn nhw erbyn i ni orffen chwarae am y dydd. Wiced yr un i Gibson, Watkin, Dale a fi wrth i Gaerlŷr lusgo'u hunain i 63 am 4 oddi ar ddeunaw pelawd. Pethe'n edrych yn addawol iawn ar gyfer dydd Llun a phawb yn gobeithio cadw ar yr un trywydd yn y gêm undydd fory. Yn sicr, roedd y daith sha thre'n un ddigon hapus i Marie a fi heno a dim ond y daith fer i Gastell-nedd sy o 'mla'n i fory.

Dydd Sul, 28ain o Awst
(Croft: h.f.a. 18/8-0-46-1)

Mae'n amlwg fod yr ymarfer batio yn y gêm yng Nghaerdydd wedi bod yn ysbrydoliaeth i bob un o fechgyn Morgannwg gafodd gyfle heddiw i gyfrannu. Fel yn achos ddoe, rhestru cyfraniad pawb arall yw'r ffordd ore i ddangos fod pob un wedi ysgwyddo'i ran o'r baich o adeiladu sgôr dda: James (49), Morris (30),

Hemp (34), Maynard (27), Cottey (18), a Gibson (18 h.f.a.) yn golygu cyfanswm digon da o 210 am 5 wiced erbyn amser te.

Ateb Caerlŷr yn edrych yn beryglus wrth i Macmillan (46) a Maddy (54) symud mla'n i 93 cyn colli wiced Macmillan i ddaliad gan Gibson oddi ar 'y mowlio i. Er i Lefebvre, Watkin a Gibson fowlio'n dda, diwrnod Steve Barwick oedd hi wrth iddo gipio pum wiced am 36 i'n galluogi ni i fowlio Caerlŷr mas am gyfanswm o 177. Erbyn y diwedd roedd pethe'n edrych yn rhwydd iawn ond fe aeth tipyn o waith caled i mewn cyn i ni ennill y dydd. Roedd 'y ngwên yn un lydan wrth gyrraedd adre heno. Gobeithio y bydd pethe gystal erbyn prynhawn fory rywbryd.

Dydd Llun, 29ain o Awst
(Croft: 26-8-80-5)

Diwrnod mawr i fi'n bersonol ac ail fuddugoliaeth y tymor i Forgannwg. 'Ma'r tro cynta i fi gipio pum wiced mewn un batiad eleni ac mae'r ystadegwyr yn nodi bob tro y bydd bowliwr yn cyflawni'r gamp. Am y tro cynta eleni, fe ges i gyfle i fowlio ar lain oedd yn troi. Doedd y bêl ddim yn troi llawer, ond roedd 'na ddigon o help ynddi i wneud 'y ngwaith ychydig bach yn haws. Fe achosodd Vince Wells (56) ac Adrian Pierson (26) dipyn o broblemau yn ystod y bore ond fe dwylles i'r ddau cyn cinio. Er i Robinson (29), Nixon (34) a Parsons (26) wrthsefyll am gyfnod roedd pethe'n anochel a 'na wir ddiwedd ar obeithion Caerlŷr i ennill y bencampwriaeth.

Maen nhw 44 pwynt y tu ôl i Swydd Warwick a bydd angen gwyrth arnyn nhw bellach i ddal tîm Dermot Reeve nawr. Hon oedd ein buddugoliaeth gartre gynta yn y bencampwriaeth ers blwyddyn gron ac roedd ein cefnogwyr wrth eu bodd. Yn anffodus, am fod Swydd Efrog, sydd un safle o waelod y tabl, wedi ennill hefyd, rŷn ni'n dal ar y gwaelod, ac mae'n edrych yn fwy tebygol mai dyna fydd ein ffawd eleni. 'Sdim ots am hynny, ma' pawb yn hapus a phawb ohonon ni'n gwenu ar y daith i Worksop i chwarae yn erbyn Swydd Nottingham.

Dydd Mawrth, 30ain o Awst
(Croft: 24-6-64-0)

'Ma'r unig dro eleni inni orfod chwarae dwy gêm bencampwriaeth o'r bron ac mae pawb yn llawn hyder y bore 'ma'n gobeithio cadw ar yr un llwybr â'r penwythnos yng Nghaerdydd. Mae'n drist gorfod cofnodi ar ddiwedd y dydd na chawson ni lwyddiant tebyg o bell ffordd. Do, fe gipion ni bedair wiced (dwy i Dale ac un yr un i Gibson a Barwick), ond fe sgoriodd bechgyn Nottingham 352. Yn ddieithriad ma'r llain yma yn Worksop ar ei gore ar y diwrnod cynta ac fe fanteisiodd eu capten, Tim Robinson (99), a Paul Johnson (51) ar hynny. Fe gafodd Graeme Archer flas ar 'y mowlio a 'nharo am ddau 6 i gyrraedd ei hanner cant. Nes mla'n roedd hi'n amlwg y byddai'n well pe na bawn i'n bowlio mwy heddi; y tro cynta i hyn

149

ddigwydd i fi eleni. Aeth Archer mla'n i gyrraedd 146 heb fod allan a'r unig gysur ges i oedd dal Johnson ar y ffin oddi ar fowlio Dale. Un cysur inni fel tîm oedd pan gipiodd Barwick wiced eu chwaraewr tramor nhw, Jimmy Adams o'r Caribî, am ddau rediad yn unig. Gwaetha'r modd, ma' Chris Lewis newydd ymuno ag Archer ac ma' Lewis yn siŵr o wneud ei ore glas bore fory i geisio ennill lle yn y garfan ryngwladol ar y daith i Awstralia.

Dydd Mercher, 31ain o Awst

Gan ei bod hi'n ddiwrnod ola Awst, fe ddaeth y glaw i dorri ar draws pethe a chaniatáu ychydig dros ddwyawr o chwarae'n unig. Ar ôl 'y mherfformiad diflas 'da'r bêl ddoe, 'ches i ddim ail gyfle heddiw. Rhwng y cawodydd fe symudodd Archer mla'n ar ei sgôr ore erioed (168) ac fe glatsiodd Lewis 68 (h.f.a.) i atgoffa'r dewiswyr o'i allu. Pan gaeon nhw'u batiad ar 476 am 6 wiced am chwarter wedi pump, roedd 'da ni 65 munud anodd o fowlio o'n bla'n. Diolch byth, fe ddychwelodd y glaw ar ôl dwy belawd a 'na ddiwedd ar bethe am y dydd.

Roedd 'na gwyno heddiw a fawr o neb yn hapus wrth weld y bwyd yn cael ei osod o'n bla'n amser cinio. Pryd o fwyd cynnes oedd ei angen ar bawb ac, yn ffodus, ma' 'na siop *chips* o fewn canllath i'r cae. Ar y ffordd draw yno i brynu cinio poeth, fe geisiodd Gary Butcher neidio dros wal isel. Peth digon doniol oedd ei weld e'n mynd yn ffladach ar y llawr. Peth cwbl wahanol oedd sylweddoli fod Butch 'di cael niwed. Bant â fe i'r ysbyty am y prynhawn a dw i ddim yn credu y bydd e'n ffit i chwarae fory.

Dydd Iau, 1af o Fedi
(Croft: st Noon b Afford 42)

Pan gyrhaeddon ni'r cae y bore 'ma doen ni ddim yn disgwyl chwarae, ond roedd Nottingham mor benderfynol i ennill cymaint o bwyntiau â phosib fel i'w staff nhw wneud gwaith anghredadwy ar sychu'r llain a'r cae'n gyffredinol er mwyn i ni ddechre heb oedi.

Maynard (69) oedd sail a sylwedd ein batio heddiw eto ac ma'n grêt ei weld e'n ôl ar ei ore unwaith 'to er ei bod hi'n hwyr yn y tymor. Hemp (20), Dale (25), Cottey (31) a fi oedd yr unig rai arall i basio'r deg ac roedd hi'n amlwg trwy'r dydd na fydde hynny'n ddigon, o bell ffordd. Ces i dipyn o hwyl ar ddiwedd ein batiad wrth glatsio tri 6 a'n helpu i gyfanswm o 221. Doedd dim byd anghyfrifol yn hyn o dan yr amgylchiade. Dim ond ar ôl i ni gyrraedd 185 am 8 y dechreues i daflu'r bat. Gan fod angen 327 arnon ni i orfodi Nottingham i fatio roedd hi'n amheus iawn a alle Barwick a fi gyrraedd y nod hwnnw a chofio bod Gary Butcher allan o'r gêm wedi torri'i bigwrn. O ie, anghofies i ddweud taw 'na beth oedd canlyniad y naid 'na amser cinio ddoe. 'Na wers i ni i gyd am y dyfodol.

Yn naturiol ddigon, manteisiodd Nottingham ar y cyfle i'n gorfodi ni i fatio eto a'r unig gysur ar ddiwrnod

gweddol o ddiflas oedd i Hugh a Matt gadw'u wicedi
tan y diwedd.

Dydd Gwener, 2ail o Fedi
(Croft: rhedwyd mas 36)

Penderfyniad Hugh oedd i ni glatsio'n ffordd mas ar
lain oedd wedi'i threulio i helpu'r troellwyr. Yr agwedd
oedd y galle pêl y bydde'n amhosib ei chwarae ddod
unrhyw bryd ac felly gwell oedd sgorio cymaint byth
ag y gallen ni cyn i'r bêl honno gyrraedd. Fe sgoriodd
Matt 58 a Hugh 51 cyn i'r troellwr ifanc, Jimmy
Hindson, newid cwrs y gêm a chipio pum wiced am
un rhediad oddi ar un belen ar hugain! Rhywfaint o
ddathlu i David Hemp wrth gael ei ddewis i fynd i
India gyda'r Tîm "A" rhyngwladol ond dim ond deg
sgoriodd e heddi cyn i Hindson ei dwyllo fe, hefyd.
Dim ond Cotts (43) a fi gyfrannodd yn sylweddol
wedyn ond doedd hynny ddim yn ddigon, o bell ffordd,
wrth i ni i gyd fod mas am gyfanswm o 218, 37 o
rediadau'n brin o orfodi Nottingham i fatio eto.

Canlyniad digon siomedig ar ôl y llwyddiant yng
Nghaerdydd ddydd Llun, ond rhaid cyfaddef fod Not-
tingham wedi chwarae'n well na ni ym mhob agwedd
ar y gêm. Rwy i wedi cael cyfle i edmygu dawn troellwr
llaw chwith newydd ac ifanc sy'n debyg o fod yn
chwarae am flynyddoedd i ddod. Gobeithio na fydd
e'n ddraenen fydd yn poeni Morgannwg yn rhy aml.
A sôn am law chwith, cyfle i ni fynd allan i swper i
ddathlu dewis Hemp i'r Tîm "A". Pawb yn gytûn fod

David yn llawn haeddu'i le ac yn dymuno'n dda iddo. Wrth gwrs 'y mod i'n siomedig nad yw f'enw i ymhlith y rhai sy'n mynd ar daith eleni ond dyw'r tymor ddim wedi bod yn un da i fi, o bell ffordd. Rhaid dechre meddwl am y flwyddyn nesa a gobeithio y galla i ddilyn y patrwm o fynd ar daith bob yn ail flwyddyn unwaith eto ac yna sefydlu fy lle yn llygaid y dewiswyr ar gyfer y dyfodol.

Heno, o'r diwedd, ma' Swydd Warwick wedi ennill y bencampwriaeth ac wedi derbyn eu siec am £48,500 o ddwylo'r noddwyr. Mwy o ddathlu i Dermot Reeve a'i griw tra'n bod ni'n cael pryd gweddol dawel yn Nottingham. Licen i feddwl y byddwn ni flwyddyn i heno'n teithio i Lord's i chwarae mewn ffeinal wedi ennill tlws neu ddau'n barod!

Dydd Sadwrn, 3ydd o Fedi

Gan fod gêm derfynol Tlws NatWest yn cael ei chwarae yn Lord's heddiw rhwng Swyddi Warwick a Chaer-wrangon, ma' 'da ni ddiwrnod rhydd cyn chwarae yn Trent Bridge fory. Dim pwynt teithio'n ôl i Gymru ac felly cyfle i Cotts a fi dreulio diwrnod hamddenol yn pysgota ar Rutland Water. Fel arfer eleni, Cotts enillodd y gystadleuaeth arbennig hon. Ma'r pysgota a'r criced wedi mynd i'r un cyfeiriad yn ddiweddar ond mae pethe'n gwella. O leia ma' nifer o frithyllod 'da ni i fynd adre fory.

Y llynedd, fe ddechreuon ni'r tymor â'r agwedd ein bod ni'n mynd i geisio ennill un o'r ddwy gêm bob penwythnos. Yn ffodus, cyn amled â pheidio, fe lwyddon ni i ennill y ddwy gêm. Roedd gwneud yn dda wedi tyfu'n rhywbeth naturiol nad oedd yn achosi llawer o drafferth i ni. Am ryw reswm, ma' 'na rywbeth ar goll eleni ac fe fydde pawb yn y clwb yn fodlon talu ffortiwn am gael gafael ynddo fe, beth bynnag yw e!

'Nôl yn y gwesty ma' pawb yn ddiolchgar fod Caerwrangon wedi llwyddo i ddwyn rhywbeth o grafangau Warwick. Gwaetha'r modd, bydd yn rhaid i ni chwarae yn erbyn y buddugwyr yng Nghaerdydd yr wythnos nesa a bydd Curtis, Hick, Moody a gweddill eu bois nhw'n llawn hyder. Bydd yn gyfle gwych i ni fesur ein hunain yn erbyn y goreuon unwaith 'to ac i weld a oes 'na welliant wedi'r cwbwl.

Dydd Sul, 5ed o Fedi
(Croft: b Evans 6/2-0-17-0)

Newyddion drwg iawn am ben-glin Hugh Morris: mae e'n mynd i weld llawfeddyg fory yng Nghaerdydd i geisio gweld beth yw'r broblem. Mae'n edrych yn debyg fod ei dymor wedi gorffen a chyfle arall i Steve James dros bythefnos ola'r tymor. Steve yn dathlu'i gyfle trwy rannu hanner cant gydag Adrian Dale cyn i James gael ei redeg allan. Does 'na ddim golygfa well na gweld James a Dale yn rhedeg nôl a mla'n. Maen nhw fel dau filgi! Yn anffodus, roedd rhaid i un milgi ddal i redeg i mewn i bafiliwn Pont Afon Trent yn Nottingham heddiw. Doedd dim ots gan yr un ohonon ni am hynny wrth i Hemp (32) ymuno yn yr hwyl gydag Adrian (61) a chyrraedd cyfanswm o 116 yn y bedwaredd pelawd ar hugain. 'Na ddiwedd ar ein dathlu, gwaetha'r modd. Dim llwyddiant i Kevin Evans pan fowliodd e ar ddechre'r prynhawn, ond fe ddaeth e'n ôl fel corwynt i fowlio pump ohonon ni. Bowlio Lefebvre, Metson a Watkin oedd yr hufen ar y gacen i Evans wrth iddo orffen â chrynodeb gwych: 8-0-29-5.

Doedd ein cyfanswm o 178 am 9, ar yr olwg gynta, ddim yn edrych yn addawol ond, erbyn hyn rŷn ni'n eitha hyderus yn ein gallu i amddiffyn cyfanswm cymharol isel. Yn anffodus, fe gollon ni naw pelawd i'r glaw wedi'r egwyl, gan olygu nod is o 138 oddi ar 31 pelawd i Nottingham. Twyll yn unig oedd llwyddiant cyfuniad Lefebvre a Metson i gipio wiced Tim Robinson pan nad oedd eu cyfanswm ond tri rhediad. Ymunodd Adams gyda Matthew Dowman, crwt addawol nad yw ond ugain mlwydd oed, i symud y sgôr mla'n at 118 cyn i Maynard ddal Adams oddi ar fowlio Gibson. Doedd hi ddim yn ddiwrnod i droellwr ac fe ges i 'nghyfyngu i edmygu rhedeg Jimmy Adams rhwng y wicedi. Wrth gyrraedd pen pella'r llain, mae e'n llithro, bron yn sglefrio cyn gwthio'i ffordd yn ôl â'i fat i ruthro i'r pen arall unwaith 'to. Wedi iddo fe adael y ffrae, tro Paul Johnson oedd hi i wneud yn siŵr mai Nottingham ac nid Morgannwg oedd yn bachu'r pedwar pwynt. Taith go drist yn ôl i Gymru felly heb fawr o ddim i'w ddangos am ein penwythnos yn Swydd Nottingham, ond diwrnod ychwanegol i ymlacio, rhwng y pysgota, yr ymarfer yn y rhwydi a pharatoi am y briodas. Mae'n anodd credu y bydda i'n ŵr priod mewn llai na thair wythnos!

Dydd Iau, 8ed o Fedi
(Croft: 5-0-30-0)

Colli hanner y dydd i'r glaw wrth i'r hydref ddechre cnoi ac erydu'r tymor criced. Digon addawol wrth i Gibson ddal i ddangos ei fod yn fowliwr gwych. Amynedd oedd ei angen ar bawb yng Nghymru. Cricedwr talentog iawn, a bydd pawb yn gobeithio gweld ffydd pwyllgorau Morgannwg ynddo'n cael ei ad-dalu dros y blynyddoedd i ddod. Heddiw fe gipiodd e dair wiced mewn deg pêl i newid y sgôr o 181 am ddwy wiced i 194 am bump. Storm o law a tharanau'n rhoi diwedd ar bethe ar ôl 48.3 pelawd.

Dau o fatwyr Caerwrangon yn unig yn llwyddo a'r ddau o gefndir diddorol. Tom Moody (66) o Perth, Gorllewin Awstralia, yn adnabydddus i bawb erbyn hyn ond y llall, **W**illiam **P**hillip **C**hristopher Weston (59), yn enw anghyfarwydd i'r rhan fwyaf o bobl. Un ar hugain oed yw e, mae'n addawol iawn a chanddo frawd iau sydd wedi'i arwyddo i chwarae dros eu swydd frodorol sef Durham. Y ddau yn feibion i Mike Weston, oedd yn ganolwr a maswr dros Loegr a'r Llewod, ac sydd, yn ôl 'Nhad, yn enwog am roi'r bas i Andy Hancock i'w ryddhau i redeg canllath i sgorio cais enwog yn erbyn yr Alban – hyn i gyd cyn i fi gael 'y ngeni! Peth arall hynod am y brawd sy'n chwarae yma yw'r cyfuniad o enwau a roddwyd iddo. Ma' 'Nhad wedi sôn wrtho' i iddo edmygu pâr o ganolwyr Lloegr yn y pumdegau o'r enw Jeff Butterfield a **W**.**P**.**C**.Davies. Gan i Mike Weston gynrychioli Lloegr ar ôl Butterfield a Davies, mae'n amlwg ei fod wedi dangos ei edmygedd at ei gyn-ganolwr trwy enwi'i fab ar ôl Davies.

Dydd Gwener, 9fed o Fedi

Glaw'n amharu am yr eilddydd yn olynol a batwyr Caerwrangon yn ailddechre ar 206 am bump wiced. Mwy o lwyddiant i Gibson wrth iddo orffen â'r crynodeb campus o 19-2-64-6. Wedi'r holl gwyno, ma' Ottis yn ateb ei feirniaid yn ôl trwy weithredu ar y cae criced ac mae'i wên ar ddiwrnod fel heddiw'n dweud y cyfan. Dwy wiced yr un ym matiad Caerwrangon i Watty a Roly'n golygu bod yr ymwelwyr i gyd mas am gyfanswm o 265. Crynodeb Lefebvre (29-10-67-2) yn dangos pa mor gybyddlyd y gall e fowlio pan yw e ar ei ore. Falle bod bywyd priodasol wedi cael effaith dda ar ei griced e. Rhaid i fi obeithio y bydd yr un peth yn digwydd i fi erbyn y flwyddyn nesa. Dim ond pythefnos i fynd, fel ma' pawb yn f'atgoffa bron bob dydd!

Pan ddaeth ein tro ni i fatio, colli wicedi'n ddigon rheolaidd oedd yr hanes, ond fe ddaeth glaw i roi terfyn ar bethe pan gyrhaeddon ni 134 am dair wiced a Maynard (48) a Cottey (22) yn dal yno i gario'r frwydr mla'n i drannoeth, os bydd y tywydd yn caniatáu.

Dydd Sul, Medi 11eg 1994 yng Ngerddi Sophia, Caerdydd

MORGANNWG

Batiwr		
S.P. JAMES	Rhedwyd allan	25
A. DALE	d. a b. Moody	0
D.L. HEMP	d. Rhodes b. Illingworth	15
M.P. MAYNARD (C)	d. Leatherdale b. Lampitt	26
P.A. COTTEY	d. Rhodes b. Radford	29
O.D. GIBSON	st. Rhodes b. Illingworth	7
R.D.B. CROFT	heb fod allan	29
R.P. LEFEBVRE	d. Haynes b. Newport	16
C.P. METSON (W)	b. Radford	1
S.L. WATKIN	d. Rhodes b. Newport	4
S.R. BARWICK	b. Newport	0
	Ychwanegol	16
	CYFANSWM	168

39.5 Pelawd am 10 wiced

Bowlwyr				
MOODY	8	1	17	1
NEWPORT	7.5	1	39	3
ILLINGWORTH	8	0	32	2
LAMPITT	6	0	22	1
HICK	4	0	19	0
RADFORD	6	1	31	2

CAERWRANGON

Batiwr		
T.M. MOODY	c.o.f.w. b. CROFT	39
T.S. CURTIS (C)	Rhedwyd allan (Maynard)	25
G.A. HICK	b. CROFT	0
G.R. HAYNES	c.o.f.w. b. CROFT	0
D.A. LEATHERDALE	d. ' a b. CROFT	3
M. CHURCH	d. Maynard b. CROFT	4
S.J. RHODES (W)	d. Cottey b. CROFT	4
S.R. LAMPITT	b. Lefebvre	4
R.K. ILLINGWORTH	Rhedwyd allan (Hemp)	15
N.V. RADFORD	heb fod allan	14
P.J. NEWPORT	Rhedwyd allan (Hemp)	0
	Ychwanegol	7
	CYFANSWM	139

37.2 Pelawd am 10 wiced

Bowlwyr				
LEFEBVRE	7	0	29	1
WATKIN	8	0	31	0
BARWICK	8	1	24	0
CROFT	8	0	20	6
COTTEY	2	0	15	0
GIBSON	4.2	0	17	0

Cotts a fi'n teithio i Gaerdydd yng nghwmni cawod drom y bore 'ma a dim llawer o obaith iddo fe gael cyfle i fatio heb sôn am gyfle i fi chwarae unrhyw griced. Ma' diwrnod fel heddiw yn fwy diflas na diwrnod gwlyb ar ddechre tymor. Ym mis Mai gall dyn edrych mla'n at chwarae rhywfaint o griced dros yr wythnosau nesa. A dim ond wythnos yn weddill ma' colli diwrnod cyfan yn fwy o golled o lawer, yn arbennig o gofio i ni gael nifer o ysbeidiau heulog a chynnes cyn i'r gawod ola'n golchi ni mas tua phump o'r gloch.

Er yr holl gawodydd roedd 'na un gorchwyl pleserus i'w gyflawni ar ôl cinio. Gan taw fi yw Noddwr Adran Ieuenctid Clwb Criced Morgannwg, roedd rhaid gwobrwyo Andrew Tucker o Gaerdydd am fathu enw newydd i'r adran a gaiff ei galw'n "Short Legs" o hyn mla'n. A Greg Merriman a John Weavers yn ail a thrydydd, roedd 'na dipyn o gyffro wrth i'r tri chrwt gael cyfle i gwrdd â'r ddau dîm a chael eu lluniau wedi'u tynnu yng nghmwni cewri fel Hick a Moody (a'r rhai byr fel Cottey a Rhodes!) Rhaid edmygu bechgyn Caerwrangon a diolch iddyn nhw am ymuno yn yr hwyl ar ddiwrnod mor ddiflas. Rwy'n siŵr na fydd Andrew, Greg a John byth yn anghofio'u diwrnod mawr.

Dydd Sul, 11eg o Fedi
(Croft: h.f.a. 29/8-0-20-6!!)

Fe ddyle pob cricedwr proffesiynol gael un cyfle i
ddisgleirio mwy na'i gymdeithion unwaith y tymor.
Profiad digon cyffredin i fechgyn fel Matthew
Maynard a Graeme Hick, wrth gwrs, ond anaml iawn
y bydd e'n digwydd i fi. Roedd heddiw'n eithriad ac
yn ddiwrnod i'w gofio hyd fy medd. Dyw eleni ddim
wedi bod, o bell ffordd, yn llwyddiant mawr i fi, ond
roedd hi'n werth aros am heddiw; yn gadarnhad i
gefnogwyr Morgannwg 'mod i'n ddigon da i chwarae
gyda'r goreuon. Am unwaith rwy'n disgwyl mla'n at
ddarllen penawdau chwaraeon y papurau bore fory.
Nawr mae'n iawn i fi fynd mla'n a mla'n, ond beth
ddigwyddodd?

Wel, dechre digon diflas wrth i Moody a Phil New-
port fowlio pelawd ddi-sgôr yr un. James yn llwyddo
i sgorio un yn gynnar yn y drydedd belawd ac yna'r
trychineb o weld Dale yn cael ei ddal yn gyfforddus
gan Moody oddi ar ei fowlio'i hunan. Un rhediad am
un wiced! James yn ddigon bodlon ar redeg un bob
cyfle a Hemp yn dilyn yr un trywydd ond yn llwyddo
dau hwnt ac yma. Y troellwr llaw chwith profiadol,
Richard Illingworth, yn twyllo Hemp (15) a'r
cyfanswm ddim ond yn 37 yn y ddeuddegfed belawd.
Maynard yn ymuno â James ac yn codi'r tempo ar
unwaith trwy guro at y ffin am 4 i agor ei gownt. Steve
yn dal yn amyneddgar ac yn sgorio deunaw rhediad
sengl cyn cyrraedd y ffin am y tro cynta. Roedd e'n
gweld bod angen cyflymu'r sgorio, ond fe gafodd ei
redeg mas am 25 a'r cyfanswm yn 71 yn y 19eg belawd.

Rhy araf o lawer a phethe'n gwaethygu pan ddaliodd Leatherdale Matt (26) oddi ar fowlio Lampitt ar 80 yn y 23ain pelawd. Y bedwaredd belawd ar hugain yn un bwysig iawn i ni wrth i Cottey a Gibson lwyddo i sgorio deg a symud y sgôr i 91. Cymysgedd wedyn o gyflymu ac arafu'r tempo tan i Rhodes stwmpio Gibson (7) oddi ar fowlio Illingworth a'r cyfanswm ddim ond yn 111.

Siom fawr i'n cefnogwyr oedd gweld Maynard a Gibson yn mynd cyn cynnau rhywfaint o dân gwyllt, yn arbennig o gofio na fyddan nhw'n chwarae gêm undydd yng Nghymru eleni eto. Cottey (29) wedi cyfrannu'n ddeche iawn ond yn cael ei ddal gan Rhodes oddi ar fowlio Radford ar 114. Radford oedd y chweched bowliwr i Curtis alw arno ac mae'n rhyfedd mai dim ond Lampitt o'r chwech sy heb chwarae criced rhyngwladol. Fy nhro i oedd hi i ymuno yn y frwydr pan oedd Gibson mas ac fe ddaeth y Cymro enwog o Rotterdam i gadw cwmni i fi yn lle Cotts. Sgwrs fer i benderfynu taw dim ond un peth y gallen ni wneud: bwrw pob pêl yn galed a rhedeg poeth! (Rown i am ddweud "popeth" fan'na ond fe wnaiff hwnna'r tro.) Dim amser i gael seibiant wrth i'r ddau ohonon ni gwrso am ddau bob cyfle. Gorfod troi'n ôl heb lwyddo sawl gwaith ond yn gorfodi'r maeswyr i fod ar flaenau'u traed i bob pelen. Anodd iawn oedd cyrraedd y ffin ond fe gadwon ni'r sgorwyr yn ddigon prysur gan gyrraedd 152 yn y 38ain pelawd cyn i Roly gael ei ddal. Help i fi gan Metson a Watkin (a dim help o gwbwl gan Barwick) a 'na ni ar 168 ar ddiwedd y batiad. Dim digon o bell ffordd oedd ymateb y cefnogwyr wrth i fi gyrraedd y pafiliwn ond rown i wedi gweld digon i wybod fod 'na dipyn o help i droellwr gan fod 'na dipyn o dreulio wedi digwydd i'r llain, yn arbennig os cawn fowlio at Afon Taf.

Dechre hollol wahanol i fatiad Caerwrangon wrth i Curtis a Moody symud yn gyfforddus at 62 ar ddiwedd y bymthegfed belawd. Rown i wedi bowlio 'mhelawd gynta (y 14eg o'r batiad) ac wedi ildio tri rhediad o'r ddwy bêl gynta. Dim rhediad oddi ar y pedair pelen ola ac roedd 'na arwyddion fod y bêl yn troi. Fe sgoriodd Curtis un rhediad oddi ar bêl gynta'r belawd nesa i ddenu Moody lawr i'n wynebu i. Dyn aruthrol o dal, yn sefyll chwe throedfedd a hanner o daldra ac yn gallu estyn yn bell i lawr y llain. Does dim pwynt ceisio bowlio rhyw bêl arbennig at ryw chwaraewr arbennig, ond fe aneles at ddarn o'r llain a oedd wedi treulio mwy na'r gweddill. Erbyn hyn, roedd y gŵr o Awstralia'n hyderus iawn ac fe drawodd e ar draws llinell y bêl lawn a fyddai wedi taro'r wiced ganol. Yn lle hynny, coes Moody yn y ffordd a'r dyfarnwr yn cytuno â'm hapêl; coes-o-flaen-wiced! Hick yn cerdded i'r canol yn llawn hyder ar ôl blwyddyn lwyddiannus a'r gofid y byddai'n ein cosbi ni fel mae e wedi cosbi cynifer o bobl trwy'r haf. Y gallu ganddo i ennill y gêm ar ei ben ei hun o fewn pymtheg pelawd os gallai sefydlu'i hunan yn gyflym. Am unwaith, Hick yn orhyderus a'r llain yn helpu'r troellwr a'r bêl yn llithro trwy'r bwlch rhwng ei fat a'r pad i daro'r wiced. Doedd 'na ddim tyrfa enfawr ond, fel arfer ar y Sul, digon o Gymry i wneud sŵn eitha clochuchel a phawb o'r tîm am ysgwyd dwylo o sylweddoli fod y gêm wedi'i gweddnewid yn llwyr o fewn dwy funud.

Y meddwl yn dechre clirio ar ôl tipyn, a sylweddoli bod posibilrwydd ennill camp lawn y bowlwyr, yr

"Hat-Trick". Gavin Haynes, rhywun arall sy'n cael tymor llwyddiannus, yn cerdded allan i gael gair gyda'i gapten, Curtis, cyn paratoi i wynebu'r belen nesa. Yr unig beth i'w glywed o gwmpas y cae oedd sŵn curiad 'y nghalon i! 'Nhro i oedd bod yn rhy hyderus nawr a bowlio pêl rhy lydan gan obeithio i honno droelli'n ôl. Fe drodd hi'n ôl ond ddim cweit digon i drafferthu Haynes. Sgwrs fer 'da Matthew (yntau'n dal yn gapten yn absenoldeb Hugh) a'i berswadio i symud mentrwr yn nes at y bat ar yr ochr ole. Cyfle gwych i ddodi mwy o bwysau ar fatiwr newydd ac fe weithiodd y cynllun! Yn lle symud mla'n i chwarae'r bêl nesa, fe gamodd Haynes yn ôl ond methu cael ei fat ar y bêl; coes-o-flaen-wiced a thair wiced i fi mewn pedair pelen! Diflas a digyffro oedd bowlio pêl ddi-sgôr i Leatherdale i orffen 'y mhelawd ore erioed. Barwick yn bowlio'r belawd nesa tra 'mod i'n ysu am gael cyfle arall. 'Na un o drafferthion mwya criced: rhaid rhoi benthyg y bêl i rywun arall o bryd i'w gilydd! Roedd hi'n amlwg bod Curtis yn dechre teimlo'r pwyse gan iddo gyflawni hunanladdiad (yn yr ystyr gricedol yn unig) wrth fynd am rediad nad oedd yno gan mai Maynard oedd ar yr ochr agored i faesu'n gelfydd. Roedd y bêl yn nwylo Metson mewn fflach. Curtis mas a'r sgôr wedi newid o 63 am 0 i 64 am 4 wiced o fewn deg pelen. Roedd hyn wedi arafu sgorio Caerwrangon hefyd a dim ond un rhediad a sgoriwyd o 'mhelawd nesa a dim un o bedwaredd pelawd Barwick. Dim cyffro a fawr ddim o rediadau tan 'y mhumed pelawd. Sylweddolodd bechgyn Caerwrangon fod 'na law ar y ffordd o'r Gorllewin ac roedd hi'n hen bryd iddyn nhw glatsio rywfaint i ddal i fyny 'da ni. Ond roedd y bêl yn dal i droi ac un peth y dylai pob cricedwr ifanc ei ddysgu yw na ddylech chi geisio torri pêl sy'n troi o'r ochor ole. Fe geisiodd Leatherdale wneud hynny a dim ond llwyddo i daro'r bêl i'r awyr yn ôl yn syth ata i! Erbyn hyn, roedd fy hen record ar y Sul, 3-38, ar chwâl a thair pelawd a hanner yn weddill 'da fi. Caerwrangon am gyflymu'r sgorio a Maynard yn dal Church yn ardderchog ar yr ochr goes oddi ar belen gynta fy chweched pelawd. Pawb yn rhuthro i'm llongyfarch i, ond un ffrind da, Adrian Dale, yn wên i gyd, yn fy rhybuddio am beidio â thorri'i record e o 6 am 22 ar y Sul! Down i ddim yn sylweddoli fod pethe'n mynd cweit cystal â thorri record y clwb ond roedd rhaid dal ati. Chwerthin a thynnu coes yw'r hanes bob tro y bydda i'n gweld Steve Rhodes a doedd heddi ddim yn eithriad. Rwy i wedi bod gydag e ar ddwy daith 'da'r Tîm "A" rhyngwladol ac mae e o hyd yn credu ei fod e'n gallu chwarae 'mowlio i heb fawr o drafferth. Ei ateb e gan amla yw sgubo ond rois i ddim cyfle iddo fe heddiw, a thair pelen ar ôl i Church fynd, fe dynnodd Rhodes i'r ochor goes a llwyddo i golli'i wiced i ddwylo diogel Cotts. Mwy o lawenydd a record Dale yn yfflon, o leia dros dro. Clywais wedyn am y bwrlwm a'r cyffro yn lloc y Wasg sy drws nesa i stafell y sgorwyr. Byron Denning, ein sgoriwr ni yn cadarnhau 'mod i wedi cipio chwe wiced am chwe rhediad oddi ar saith pelen ar hugain! Rown i'n hedfan, nid yn cerdded! Dwy belawd arall a dim rhagor o lwyddiant, ond yn ildio saith o rediadau oddi ar y belawd ola. Yna clywed Byron Denning yn cyhoeddi 'nghrynodeb terfynol: 8-0-20-6! Oni bai am y belawd haerllug ola 'na, fe fydde'n record anodd iawn i'w thorri. Fel mae'n sefyll nawr, bydd Dale a fi'n cystadlu am flynyddoedd i ddod ac felly pwy a ŵyr?

Roedd 'da ni dipyn mwy o waith i'w wneud i ennill wrth weld Lampitt, Illingworth a Radford yn batio'n ddigon crefftus. Lefebvre, yn ôl ei arfer ar y Sul, yn dod yn ôl a llwyddo bron ar unwaith i fowlio Lampitt a chloi'r drws yn glep ar Gaerwrangon. Hemp yn maesu'n wych i redeg Illingworth a Newport mas. Ma' ennill unrhyw gêm yn bwysig, ond ma' ennill yng Nghymru'n bwysicach o lawer. Ennill gêm undydd ola'r tymor yng Nghymru'n bwysicach byth er mwyn atgoffa'n cefnogwyr am y ffordd y gall Morgannwg chwarae criced. Rhywbeth pwysig iawn wrth geisio perswadio pobol i'n cefnogi yn y dyfodol.

Heddiw roedd hi'n amlwg fod pawb (a'i fam-gu!) isie gair 'da fi ac roedd hi'n un rownd hir o gyfweliadau i'r radio, teledu a'r papurau. Pleser yw gwneud hynny ar ddiwrnod o lwyddiant; mor wahanol i ddiwrnod o fethiant. Ar ôl yr holl glebran ac ateb cwestiynau, roedd hi'n wych cyrraedd adre heno. Rhywbeth i'w ddathlu o'r diwedd yn hwyr iawn mewn tymor digon diflas. Trueni na fyddai'r tymor yn parhau am fis neu ddau arall!

Dydd Llun, 12fed o Fedi

Gan fod y glaw wedi amharu gymaint ar y gêm hon, Maynard a Curtis yn cytuno i geisio trefnu canlyniad positif yn hytrach na chwarae am gêm ddiganlyniad. Matt yn cau'n batiad ni cyn dechre'r chwarae ac ar ôl i Watkin a Lefebvre fowlio am dipyn, Dale, Cottey, Hemp a Maynard yn cynnig rhediadau'n hael i'r

Robert Croft ar ei ffordd i gipio chwe wiced yn erbyn Caerwrangon,
11 Medi 1994. Llun: James McQuarrie

ymwelwyr. Curtis (45), a Leatherdale (54) yn manteisio ar y caredigrwydd ac, ar ôl cawod neu ddwy, Curtis yn cau'u batiad nhw ar 123 am 3 wiced gan gynnig nod o 255 mewn o leia 60 pelawd i ni anelu ato.

Am unwaith eleni, Steve James yn sefydlu'i hunan fel craig i ni adeiladu arni. Andrew Roseberry a Hemp yn mynd yn weddol rad yn rhoi cyfle i Maynard ddangos ei ddoniau. Oni bai am y glaw, falle y gallen fod wedi ennill, ond fe amharodd pedair cawod ar y nifer o belawdau oedd ar gael. Pan ddaeth y drydedd gawod, roedd angen 26 oddi ar chwe phelawd. Cotts mas y belen gynta pan sychodd pethe ac yna angen pedwar rhediad ar bymtheg oddi ar bymtheg pelen. Yn y diwedd, y cyfanswm yn 243 am 5 a James (116) yn sgorio'i gant cynta'r tymor. Fe yw'r cynta i gyfadde bod hyn yn rhy hwyr o bell ffordd a'r cyfan sy raid 'i wneud yw cael un penwythnos da yn Southampton ac wedyn troi'n meddyliau at y flwyddyn nesa.

Dydd Iau, 15fed o Fedi

Diwrnod o bysgota fel arfer echdoe ac wedyn yr ymarfer ola yn y rhwydi ddoe cyn teithio i Southampton i chwarae yn erbyn Hampshire dros benwythnos ola'r tymor. Gan ei bod hi'n arllwys y glaw a dim gobaith am chwarae, diolch byth ein bod ni mewn tre ddiddorol yw ymateb pawb wrth i'r arian gael ei wario ar ddillad gaea!

Dydd Gwener, 16eg o Fedi
(Croft: 14-4-30-2)

Diwrnod o gawodydd yn cyfyngu'r chwarae i 64 pelawd yn unig. Diwrnod digon boddhaol i Forgannwg o ran y gêm wrth i Hampshire gyrraedd 166 am 5 wiced. Dechre arbennig o dda i fi wrth gipio wiced Paul Whitaker 'da'm hail bêl ac yna'n fuan wedyn llwyddo i ddenu Robin Smith mas o'i dir i roi cyfle i Metson ei stwmpo fe. Pleser mawr yw twyllo Robin gan ei fod e'n gallu difetha troellwr yn llwyr pan fo pethe'n mynd yn dda iddo fe. Fe fydde pethe wedi bod yn well o lawer i ni oni bai am fatio'u capten nhw, Mark Nicholas, sy'n dal yno ar 43.

Yn ymuno â Nicholas, ychydig cyn y gawod ola, oedd hen ffrind a chyd-droellwr, Shaun Udal, sy wedi'i ddewis i fynd i Awstralia 'da'r tîm rhyngwladol dros y gaea. Fel cyd-aelodau o Undeb y Troellwyr, ma' Shaun a fi, a bois fel Peter Such a'n tad-cu ni i gyd, John Emburey, yn ffrindie mawr. Ces gyfle i'w longyfarch e ddoe ar ei ddewis, ond roedd 'na damed o dynnu coes y prynhawn 'ma wrth i ni'i atgoffa na fydd croeso iddo fe aros yn hir wrth y llain fory. Mae'n hen bryd i ni gael cyfle i fatio!

Dydd Sadwrn, 17eg o Fedi
(Croft: 30-7-65-2/h.f.a. 14)

Ar ôl i ni'i fygwth e neithiwr, ma' Udal wedi'n cadw mas ar y cae am oriau heddiw. Fe'i trawyd e ar ei ben

gan bêl Watty yn ystod y bore ac mae e 'di pender-
fynu'n talu ni'n ôl wrth fynd mla'n i sgorio'i gyfanswm
personol gore erioed. Erbyn i Hemp ei ddal e ar y ffin
oddi ar fowlio Barwick, roedd e 'di cyrraedd 94 ac yn
anffodus iawn i fethu â chyrraedd ei gant cynta. Fe
gafodd e dipyn o help gan Thursfield (47) a Bovill (10)
ar ôl i Maynard ddal Nicholas yn gynnar oddi ar fowlio
Steve Watkin yn gynnar yn y bore. Dygnwch Udal yn
golygu cyfanswm rhyfeddol o 331 i Hampshire a
chrynodeb bowlio gwych Watty (30-3-98-5) yn wobr
i'r gweithiwr cryfa yn ein hymosod ni.

Os bydd 'na ganlyniad pendant i'r gêm hon, dim
ond trwy dipyn o glatsio a threfnu a chytuno gan y
ddau gapten y daw e. Doedd 'da'n batwyr ni ddim
dewis ond rhoi'r bat ar y bêl mewn ffordd bositif. Dau
yn llwyddo (Roseberry-65 a Hemp-61) a dau yn methu
(James-16 a Maynard-4) cyn i Cotts (22h.f.a.) a fi lywio
pethe at 197 am 4 wiced erbyn diwedd y chwarae.
Udal yn cael amser diddorol 'da'r bêl 'fyd wrth i Hemp
ei bwrw i bobman yn gynnar ac wedyn y bowliwr yn
cipio wicedi Hemp a Maynard cyn i Cotts glatsio'i
ddwy belen ddwetha i'r ffin. Fe ddyle dydd Llun fod
yn ddiwrnod diddorol iawn ac yn ddiweddglo cyffrous
i'r tymor.

Dydd Sul, 18fed o Fedi
(Croft: rhedwyd mas 0/8-1-34-1)

Mark Nicholas yn galw'n gywir ac yn gofyn i ni fatio
gynta ar lain sy'n siŵr o helpu'r troellwyr yn nes ymla'n

yn y dydd ac yn rhoi gobaith i fi ailadrodd gwyrthiau wythnos yn ôl. Pan fo Robin Smith yn y cefndir yn aros ei dro i fatio, mae'n bwysig adeiladu sgôr sylweddol i roi cyfle i ni. A Paul Terry a Nicholas yn eu tîm nhw, mae'n golygu bod 'na fatwyr peryglus ar gael i fygwth unrhyw nod. Yn anffodus, neb o'n batwyr cynnar yn llwyddo, heblaw am Matthew Maynard; yntau'n gosod esiampl dda fel capten, ac yn sgorio 37 personol; yr unig fflach o oleuni wrth i ni lithro i 55 am 6 wiced. Diolch byth fod Lefebvre (25) a Metson (26) wedi rhoi gwers i'r batwyr neu ni fydden ni wedi cyrraedd ein cyfanswm ola'r flwyddyn ar y Sul o 145 mewn 37.5 pelawd. Gwastraffu 2.1 pelawd yn anfaddeuol a'r drws yn lledagored i fatwyr Hampshire.

Dros baned, pawb yn cytuno y dylen ni fod wedi cyrraedd tua 180 i roi cyfle i'r bowlwyr a phawb o fechgyn Hampshire yn canmol Cardigan Connor (3-33) a Kevin James (3-37) ac yn rhyfeddu at grynodeb Thursfield (8-3-10-1). Dim ond un wiced falle, ond cyfyngu'n batwyr i ddeg o rediadau mewn wyth pelawd yn rhy gybyddlyd o lawer!

Diwedd diflas i'n tymor undydd wrth i Paul Terry (78h.f.a.) arwain Hampshire yn gyfforddus at y nod mewn 36.2 pelawd. Fel arfer yn y gêm undydd, os oes un batiwr yn batio trwy'r rhan fwyaf o'r batiad mae'n haws adeiladu cyfanswm sylweddol. Digon o help i Terry gan Smith (18) a Giles White (23) cyn i Mark Nicholas ddathlu'r fuddugoliaeth ac ysgwyd llaw'n foneddigaidd 'da ni i gyd yn ôl ei arfer. Petai pawb wedi bowlio cystal â Lefebvre (8-1-19-1) a Barwick (7-0-16-0) falle y bydde 'na obaith i ni, ond yn anffodus sgorio'n rhydd oedd hanes Terry a'i ffrindie.

Heddiw, ar ddiwedd Cynghrair AXA Equity & Law,

roedd pawb yn awyddus clywed y canlyniadau o bobman arall. Swydd Warwick (pa swydd arall?) wedi ennill ym Mryste yn erbyn Swydd Gaerloyw ac felly'n bencampwyr. Tymor anhygoel iddyn nhw, yn ennill tair cystadleuaeth ac yn dod o fewn trwch blewyn i ennill Tlws NatWest hefyd. Ar ddechre'r gêm heddiw roedd gan Colin Metson siawns dda i ennill y wobr i'r wicedwr gore yng nghystadleuaeth y Sul, ond chafodd e fawr o help gennym ni'r bowlwyr a dim gwobr iddo yn y diwedd. Ma' Morgannwg yn seithfed yng Nghynghrair y Sul ac, er cymaint y siom ar ôl llwyddiant mawr y llynedd, ma' sawl cefnogwr wedi sylwi mai dim ond dwywaith, ym 1988 (5ed) a llynedd (1af) rŷn ni wedi gwneud yn well na seithfed. O ran y gystadleuaeth arbennig hon felly, tymor digon boddhaol o'i gymharu â hanes Morgannwg.

Dydd Llun, 19eg o Fedi 1994

Glaw'n golchi diwrnod ola'r tymor bant yn llwyr a chyfle i gyrraedd adre i'r Hendy mewn pryd i gael te 'da'r teulu. Mam yn ddiolchgar mai 'ma'r tro ola iddi orfod helpu i baratoi am daith i gêm oddi cartre a golchi'r cyfan ar ddiwedd y daith. Marie fydd yn diodde o hyn mla'n. Na, fydd Marie ddim yn gwneud popeth i fi ond mae'n dda cael help i drefnu pethe. Marie isie help gyda'r trefniade munud ola ar gyfer dydd Sadwrn a Cotts wrthi'n sgrifennu barddoniaeth ar gyfer ei araith fawr yn y brecwast priodas. Tra o'wn i'n gyrru'r car y prynhawn 'ma, roedd meddwl Cotts yn rhywle arall. Mae e'n dipyn o fardd ac yn siŵr o gael pawb i hwyliau da ddydd Sadwrn.

Cyfle i anghofio am griced am bron chwe mis a chyfle i ymlacio ac adeiladu tŷ newydd i Marie a fi. Ffarwelio ag un neu ddau o'r bechgyn gan fod Steve James yn mynd i Zimbabwe ac Ottis Gibson i Barbados cyn teithio mla'n i chwarae am dri mis yn Ne Affrica. Bydd gweddill y bechgyn yn y briodas ddydd Sadwrn a bydd hynny'n gyfle i gloriannu a dathlu diwedd y tymor.

Tymor digon diflas wedi dod i ben. Tymor gwael i ddilyn llwyddiant 1993. Ailadrodd yw hyn ar ddiwedd y tymor ond dyna'r farn gyffredinol o bob cyfeiriad am Forgannwg nawr. Gobeithio a gweithio am welliant yw'r ateb syml ond, er inni golli rhai gêmau'n drwm eleni, roedd 'na gyfleoedd di-rif inni ennill, e.e. Durham, Gwlad yr Haf a Chaerwrangon yn y bencampwriaeth a Surrey yn y B&H. Pwy a ŵyr, falle taw'n tro ni fydd hi i gael y lwc ym 1995. Gobeithio'n wir!

Dydd Sadwrn, 24ain o Fedi

Diwrnod mawr Marie! A finne, medden nhw. Diwrnod cymylog, oeraidd a dim gobaith am haul. Cyrraedd Eglwys y Plwyf yn Llanedi'n ddigon cynnar i groesawu pawb ac i roi cyfle i Cotts a fi gardota gyda'r hetiau uchel! Pawb yn gwrthod gwneud cyfraniad at y mis mêl! Ond, o ddifri, roedd hi'n grêt gweld perthnasau'n rhannu'r diwrnod gyda Marie a fi ac yn eitha diwrnod

Robert a Marie Croft ar achlysur eu priodas gyda gweddill tîm Morgannwg. Llun: High Society, Pontarddulais

i rai o drigolion Llanedi (er nad oedd lle i bawb yn yr hen eglwys fach).

Wrth gwrs, roedd y rhan fwyaf o Dîm Cynta Morgannwg yno a nifer o bobl eraill o'r byd criced sy wedi dylanwadu'n fawr arna i. Pleser arbennig oedd croesawu Tom Cartwright a'i wraig ac roedd gweld wynebau cyfarwydd Don Shepherd ac Edward Bevan a'u gwragedd, Ian Bullerwell, y cyn-ddyfarnwr rygbi rhyngwladol, a'i wraig Sue sy'n hanu o Fangor, yn help i leddfu'r nerfusrwydd.

Roedd Cotts yn ei elfen, yn edrych fel pengwin golygus yn ôl llawer ond yn was priodas heb ei ail. Tynnu coes fel arfer wrth i'r cricedwyr 'y mygwth i a Marie 'da'u batiau y tu allan i'r eglwys. Ymlaen i'r brecwast ar Benrhyn Gŵyr. Y parti yno'n mynd mla'n yn hwyr a mwy fyth o berthnasau a ffrindiau'n dod i ymuno yn y dathlu. Amhosib yw enwi pawb ond fe alla i'ch sicrhau i Marie a fi gael hwyl a mwynhau'r dydd yn llwyr. Cyfle gwych i weld ffrindiau hen a newydd ar ddechre'n bywyd 'da'n gilydd.

Fawr o neb yn gwbod tan i ni adael Cymru mai i Cyprus yr aethon ni am gyfnod o fwrw swildod a na, does neb yn cael darllen hanes y pythefnos nesa!

EPILOG

Dydd Sadwrn, 19eg o Dachwedd

Clywed heddiw fod Morgannwg wedi arwyddo'r troellwr llaw chwith o Surrey, Neil Kendrick. Er y bydd llawer yn credu'i fod e'n cystadlu 'da fi am le yn y tîm, rwy'n canmol y clwb am ei arwyddo. Wedi cipio tua chant a hanner o wicedi, mae e'n amlwg yn fowliwr da ac yn cynnig amrywiaeth i'n hymosod ni. Rwy'n dal i weld fy hunan fel troellwr sy'n gallu batio ac roedd ambell fatiad ar ddiwedd y tymor diwetha'n cadarnhau hynny.

Rwy'n edrych mla'n at yr her y flwyddyn nesa i geisio codi Morgannwg yn ôl i'n safle ni ym 1993 – yn agos at y brig. Rwy'n edrych mla'n hefyd at weld cymaint â phosib o gefnogwyr yn gwylio Morgannwg yn y dyfodol a chofiwch: ma' clywed mwy o Gymraeg o gwmpas y ffin pan rwy'n maesu'n dangos 'y mod i ymhlith ffrindie. Cofiwch 'y mod i'n barod am air bach o bryd i'w gilydd, os nad yw'r bêl ar ei ffordd!

LLOFNODION